Nie dotykać Normana Hammera

Warszawskie Wydawnictwo Literackie MUZA SA

Nie dotykać
Normana Hammera
czyli krótka historia ucieczki w głąb siebie

Marzena Broda

Warszawskie Wydawnictwo Literackie MUZA SA

Projekt okładki: *Agnieszka Spyrka*
Zdjęcie autorki: *Grzegorz Popiel*
Redakcja: *Ewa Woźniakowska*
Redakcja techniczna: *Zbigniew Katafiasz*
Korekta: *Aleksandra Janecka*

Autorka zdjęcia wykorzystanego na okładce:
Wojciech Dagiel

ISBN 83-7319-567-X

Warszawskie Wydawnictwo Literackie
MUZA SA
Warszawa 2004

*Gdzie w tym mieście, gdzie w tym świecie
żyje człowiek, którego śmierć byłaby dla mnie
stratą? I gdzie jest człowiek, dla którego moja
śmierć miałaby jakieś znaczenie?*

Hermann Hesse
(*Wilk stepowy*, przeł. Józef Wittlin)

Wśród ludzi

W sierpniu, kiedy temperatura w Baltimore dochodziła do dziewięćdziesięciu dwóch stopni Fahrenheita, a wilgotne, nagrzane powietrze z trudem wypełniało płuca tlenem, człowiek w białym podkoszulku, spranych spodniach i z przewieszonym przez ramię plecakiem, powtarzał bezgłośnie słowa:

– Nie dotykać mnie. Nie dotykać.

Powtarzał je jak zaklęcie, mantrę, modlitwę, biorąc wózek z parkingu i pchając go w kierunku wejścia do sklepu. Odkąd rzucił dawne życie, nie stać go było na zakupy w drogich miejscach. Oszczędności już mu się wyczerpały, a lwią część z tego, co zarobił, najmując się gdzie bądź, wydawał na ucieczki przed dotykiem. Przed tym, aby nie zastygnąć jak lawa, która objęła żarem przytulonych do siebie kochanków w Pompejach. W chwili śmierci byli przynajmniej razem; a on nawet na to nie mógł liczyć, cierpiąc z powodu tego, że nie chciał, nie potrafił się przywiązać do nikogo. Trwał w przekonaniu, że najdoskonalsze uczucia kierujemy zawsze do samych siebie.

Gdyby ze znacznej wysokości ktoś obserwował jego zachowanie, łatwo pokusiłby się o stwierdzenie, że człowiek w białym podkoszulku znał A&P na pamięć. Jak ślepiec, który pogrążony w ciemności bezbłędnie wyczuwa przeszkodę, przez lata wytrenowany w pokonywaniu jednej drogi. Do jakiegokolwiek miasta by pojechał, był pewien, że wszystkie A&P wyglądają identycznie. Uspokajało go, że znał rozkład półek, ułożenie towarów, czerwone fartuchy sprzedawców, wnękę, gdzie leżały artykuły, których data ważności wkrótce się kończyła, dlatego ceny obniżono o połowę; więc dzisiaj, jak zwykle, patrzył pewnym wzrokiem po sali, zaczynając obchód od stoiska z warzywami. Było jasne, że niczego stamtąd nie weźmie, ale udawał zainteresowanie marchewką, kalifornijską sałatą, pomidorami importowanymi z Izraela, pięciofuntowymi siatkami czerwonych ziemniaków. Gdy docierał do owoców, skręcał w prawo. Szedł do serów i mięsa, którego nie tykał od dawna. Odstraszały go plastry pociętej polędwicy. Porcje wieprzowiny, zaprawianej barwnikiem, aby stworzyć złudzenie soczystości, które ulatniało się po wypłukaniu. Trochę rozglądał się po półkach z różnymi gatunkami kawy. Lubił jej zapach, który wchłaniał zachłannie. Żeby przedłużyć miłą zmysłowi powonienia chwilę, czytał skład witamin na pudełkach z płatkami kukurydzianymi, sąsiadującymi z młynkiem do mielenia ziaren. Następnie odwracał się, rzucał okiem na stoły z martwymi rybami, obłożonymi tłuczonym lodem, wyobrażając sobie biedne stworzenia w pękatych od śmierci, cuchnących sieciach, z których wypadały na pokłady kutrów, trzepocząc się w konwulsjach, zanim skonały i trafiły do chłodni. Wreszcie docierał do miejsca, gdzie zapełniał wózek, nie dbając o to, co kupował. Byle dało się zjeść. Byle nie czuł ścisku w żołądku. Dobrze wiedział, czym jest głód, deszcz i strach, kiedy nie ma się gdzie mieszkać. Patrzył na życie jak na przeterminowane jedzenie.

Tym razem wrzucił do wózka pięć puszek ravioli, zupę Campbella, pulpety sojowe z kapustą, mleko, chleb, serek Philadelphia i listerinę, którą dezynfekował ciało, ilekroć ktoś go dotknął. Powinien zrobić to szybko, zanim pojawi się piekący bąbel i ślad na skórze, jak po oparzeniu. Dotknąć, potrącić mógł go każdy, obsługa sklepu, parkingowy, dziecko. Poruszał się zatem uważnie, a zarazem pewnie, wyszkolony w dyskretnym rozglądaniu się na boki, czy aby ktoś nie napiera na niego. Gdy zwęszył zagrożenie, zmieniał kierunek i czmychał w bezpieczne miejsce, siląc się na czarujący uśmiech, obojętny uśmiech, będący jawnie udawaną sympatią. Miał szczęście, w sklepie prawie nie było ludzi, poza kilkoma osobami w zupełnie innym punkcie sali niż on. Mógł zachowywać się swobodnie i bez lęku.

Tłustej kasjerce, wyperfumowanej byle jakim dezodorantem, zapłacił około szesnastu dolarów. Nie głowił się specjalnie, wybierając z taniego jedzenia najtańsze i nie był zażenowany, jak na początku, kiedy patrzył, czy nie ma nikogo wokół, później szukając kasy, gdzie nie było klientów. Okoliczności pozbawiły go wstydu, ale i poczucia bezpieczeństwa. Dysponował szeroką skalą zachowań.

Korzystał z nich, wybierając to zachowanie, które pozwalało zamaskować się przed ludźmi. Starał się przejąć od nich najbardziej pospolite, popularne gesty i zwyczaje. Jednym słowem, małpował ich, żeby nie zdradzić siebie, żeby nie otworzył się w nim przesmyk, demaskujący mroczne wnętrze, na którego końcu świeciło światło, jakby na ostatniej drodze los położył na szczęście złoty pieniążek.

Co do pieniędzy, połowę z sumy przeznaczonej na zakupy w A&P odłożył na benzynę, chowając drobne w tylnej kieszeni starych dockersów. W zeszłym tygodniu zarobił kilka dolarów, grabiąc liście w ogrodzie i malując dom w Jackson, należący do kobiety w barokowej peruce, rękawiczkach sprzed pierwszej wojny światowej i o pooranej zmarszczkami, chytrej twarzy koloru kiszonych ogórków. Przeczytał jej ogłoszenie w sklepie. Zadzwonił. Matowa barwa głosu i rozmyty, miękki akcent świadczyły, że pochodziła z Południa. Faktycznie, trzydzieści lat temu była farmerką. Hodowała bydło w Teksasie i uwielbiała jeść corn muffins do śniadania, obiadu i kolacji. Po śmierci męża sprzedała podupadłe rancho i wyjechała do Marylandu. Do córki, która wkrótce umarła na raka. Rozmowa była rzeczowa. Umówili się na spotkanie wczesnym popołudniem, ponieważ chciał natychmiast przystąpić do pracy.

Spieszyło mu się. Po co? Gdzie?

Był jak uciekająca przed lwem gazela, to, co go otaczało, zamieniało się w sawannę. Coraz częściej walczył o przeżycie, zastanawiając się, czy warto dobrowolnie godzić się na istnienie w rzeczywistości, która wypełniała się bezosobowym milczeniem, roszcząc sobie prawo do zadawania bólu.

Dom Maggie Tores leżał za miastem. Daleko za miastem. Kobieta podała mu dokładne wskazówki, jak do niej dojechać. Czekała w progu. Udało się jej uśmiechnąć, pokazać śnieżnobiałe, porcelanowe zęby, pasujące do platynowej peruki. Nie podali sobie rąk na przywitanie, jakby wyczuli, że żadne z nich tego nie lubi. Zauważył, że na przegubie nosiła bransoletę z masy perłowej. Powykrzywiane reumatyzmem palce ozdobiła miedzianymi pierścieniami. Paznokcie pomalowała krwistym lakierem.

Zaprosiła go do środka.

Wnętrze wymagało remontu. Kran ciekł, działał tylko jeden palnik, urządzenia hydrauliczne nadawały się do wymiany. Wykładziny w geometryczne czarno-białe figury w przedpokoju i kuchni były wychodzone. Brudne. Za to w salonie oryginalny, indyjski dywan wyglądał, jakby nikt nigdy na nim nie stanął. Maggie Tores obchodziła go dokoła, traktując jak relikwie ustawione w jego obrębie stół i sofę. Kiedy zdecydowała się usiąść, rozkładała gazety, układając je w dróżkę, którą docierała do celu. Celem było włączenie telewizora i skakanie po kanałach z pilotem w ręku. Uwielbiała oglądać Barbary Walters *20/20*, talk-show Sally Jessy Raphael, zużywała wtedy pół pudełka papierowych chusteczek, resztę zostawiając na

11

niedzielną mszę, transmitowaną z Watykanu dla włoskich emigrantów. Nie przegapiała pogody, filmów przyrodniczych i pewnie z tego powodu kwiaty w domu były sztuczne, lecz o wiecznie świeżych kolorach. Przecierała plastikowe liście mineralną oliwą, by błyszczały jak żywe. Odświeżała satynowe płatki tulipanów, nie oszczędzając na roślinach pieniędzy z zasiłku, wypłacanego jej przez miasto z racji podeszłego wieku. Bez zadyszki dobiegła osiemdziesiątki. Fałszywe pomarańcze, cyprysy, róże, rododendrony i fioletowe żałobne chryzantemy kojarzyły się Normanowi z pogrzebem i z życiem staruszki o rzęsach przydługich jak jej los. Ma się rozumieć, że para rzęsideł kosztowała ją w Walgreensie niecałe trzy dolary. Przyklejała je do powiek, mocując za pomocą pęsety. Wyglądała jak Mae West. Ciekawe, czy urządzając salon na wzór domu pogrzebowego, oswajała się ze śmiercią, paląc co wieczór trzy świece w szkle, przed fotografią doktora Kevorkiana, wyciętą z „New York Timesa", oprawioną w plastikowe ramki.

– To zbawiciel, a ty myślałeś, że kto? – pytała Normana.

Nie próbował protestować. Patrzył, jak się pochyla nad ołtarzem, i czuł, że ona naprawdę szykuje się do przepłynięcia Styksu. Dziwna, dziwniejsza... Mówił do siebie, kiedy zaskakiwała go, zakładając welon, żeby wydać się strojniejszą:

– A pani Tores, ho, ho, śliczna jak ryba welonka.

Żartował, sprawiając jej niezamierzoną przyjemność. W duchu sądził, że ani dwóch centów nie daliby za nią w sklepie zoologicznym, i zaczynał mieszać purpurową farbę do malowania ścian.

Został w Jackson pięć dni. Tyle mu zajęła robota. Tyrał przy odnawianiu kuchni. Wysłuchiwał zrzędzeń, znosił patrzenie na ręce i cierpkie uwagi, bez których nie byłaby sobą. Ponieważ nie miał pieniędzy, tolerował geriatryczną apodyktyczność, choć kobieta aż się prosiła, by rzucić pędzlem i wykrzyczeć:

– Idź do diabła!

Nie posunął się do tego, mimo że grała mu na nerwach i doprowadzała do szału.

A może nie wiedziała o tym? Kto tam wie, co planowała, zatrzymując na nim świdrujące spojrzenie afgańskiego charta. Jakoś wytrzymywał jej obecność, bo potrzebował pieniędzy. Dzisiaj docenia, że nie była łykowata w porównaniu z ludźmi, których spotykał. Przynajmniej nie interesowało jej, że spał w aucie, kręcił się w miejscu i mało mówił, raczej potakując, niż biorąc udział w rozmowie. Nigdy nie starała się go dotknąć. Przeciwnie, jakby unikała cielesnego kontaktu, przywierając do ściany, jeśli przechodził obok. Równie ostrożny, uważający, żeby nie słyszeć świszczącego oddechu, który przypominał o Hansie Castorpie i pacjentach z *Czarodziejskiej góry*. Jego ulubionej książki, jeszcze z college'u. Kiedy to było, wzdychał do siebie.

Dawni koledzy z trudem rozpoznaliby w nadmiernie szczupłym mężczyźnie o bladej cerze, posiwiałych włosach spadających na ramiona, zdrowego byczka, chciwie uganiającego się za dziewczynami. Za takiego chciał uchodzić, wychodząc co piątek na dyskotekę. W pozostałe dni przesiadywał na wykładach lub w bibliotece, gdzie oddawał się pasji czytania, przekonany, że idealne życie rozgrywa się w książkach, wprowadzających jego wyobraźnię do świata wyrafinowanych snów, gdzie dbał o odrobinę szczęścia, którą tam dostawał. Traktował je jak podporę, wiedząc, że natychmiast może wrócić do kręgu przyjaciół. Nie widział jednak powodu, aby robić to zbyt często. Skutek byłby trudny do zniesienia. Nie wolno żyć w dwóch przestrzeniach. Starał się tego wystrzegać, ale wszystko w nim świadczyło o wrodzonej chwiejności, która nie pozwalała mu się na nic zdecydować. Nawet na to, gdzie i jak ma żyć. Popełnił masę błędów. Niepotrzebnie związał się z Sue, poszedł na studia w Michigan, a nie do byle jakiego, prowincjonalnego college'u, czego żałował, tracąc zainteresowanie naukami ścisłymi. Przedwcześnie się postarzał. Odarty ze złudzeń widział, ku czemu zmierza, zdecydowany poddać się całkowitemu rozpadowi jak karze, która, gdy się dopełni, powinna przynieść ład.

Maggie Tores zapłaciła mu w środę. Ukrywając wyraz twarzy za welonem, położyła odliczone pieniądze na krześle i odsunęła się na dwa metry, splatając ręce w morelowych rękawiczkach. Zabrał zapłatę i uśmiechnął się kwaśno. Nie zdobył się na przyjacielski gest i odjechał z piskiem opon, aż się kurzyło.

Kochał być w drodze i sam. Przestrzeń dawała mu odwagę i dar zapominania wystarczający, aby zapomnieć, że jest w więzieniu.

Dokładnie nie wiedział, kiedy zaczęło się w nim „to wszystko", jak nazywał samotność i cudzy dotyk, który nie od początku sprawiał mu ból.

Najpierw przestał siadać w miejscach publicznych. Na ławkach. Krzesłach. W fotelach znajdujących się w gabinetach lekarskich. Nie korzystał z siedzeń w autobusach, w pociągach. Zrezygnował z latania samolotami i stracił pracę, kiedy nie zgodził się polecieć na konferencję w Houston, gdzie jego firma Home&Heart miała się zaprezentować przedstawiając projekt tęczowych apartamentowców, ogrzewanych słonecznym światłem i o ścianach wykonanych z materiałów ekologicznych. Boss, zdeklarowany pedał, zagrzmiał, gdy Norman powiedział, że nie poleci samolotem do Teksasu. Był konsultantem od patentów. Pracę miał dobrą, stanowisko menedżera i szacunek; ale do czasu.

Rok czekano, aby wrócił do dawnej formy. Nie udało się. Obowiązki stawały się udręką, pozawalał terminy, spóźniał się do biura. Własny strach budził go w nocy. Głowę miał załadowaną myślami. Gdyby wybuchły, świat przestałby istnieć. Zdawał sobie z tego sprawę i wiedza ta tylko pogarszała jego samopoczucie. W nagłym zrywie wściekłości trzasnął drzwiami w biurze, więc Collie, którego pedalski akcent był dla niego nie do zniesienia, wyrzucił go na zbity łeb. Nie poczuł się źle z tego powodu. Wiedział, że i tak nic nie zatrzymałoby go w firmie. Za odprawę Hammer kupił chevroleta. Jednakże długo po zwolnieniu i po odejściu od Sue.

Tamtego przedpołudnia, wychodząc z biura, odkrył, że nie znosi jeździć windą. Wmówił sobie, że sprawa dotyczy obcych, tłoku, zbytniej poufałości ciał, zmuszonych ocierać się o siebie, kiedy miejsca jest tak mało, że nie przecisnęłaby się między nimi mysz, nie mówiąc o dorosłym człowieku. W ciągu nadchodzących dni bardziej jednak niż przygnębienie dręczył go strach. Co miał zrobić, oprócz tego, że zachłannie wpatrywał się w lustro. Gdyby mógł chwycić jakąś klamkę. Trzymać ją, dopóki nie otworzą się drzwi, przez które wszedłby do lepszego świata. Skorzystałby z tej możliwości. „Prawdopodobnie po to jest ten lepszy świat, by człowiek miał o czym marzyć" – zastanawiał się, podziwiając Atlantyk i niebo, które być może stanowiły jego jedyną szansę na oderwanie się od koszmaru. Krótko mówiąc, opracował plan na wypadek, gdyby musiał iść do szpitala. Plan zapewniał poczucie bezpieczeństwa. I tyle.

Dla Normana Hammera śmierć była zerkaniem we wsteczne lusterko. Uporał się z tym postanowieniem dość szybko, kiedy zorientował się, że nie ma dla niego życia. Jego niechęć do przyszłości była wielka, jak zamiłowanie do sałatki z kurczakiem. Jeśli zaś chodzi o sposób, w jaki zamierzał się zabić, to był on prosty. Pozatykałby otwory wentylacyjne w wynajętym, podrzędnym apartamencie. Uszczelnił okna w kuchni taśmą, potem odkręcił gaz, wypił whisky i fundując sobie holocaust, pożegnał się z dotykaniem. Zwykł mówić „adios", kiedy zrywał z czymś na zawsze. Powiedziałby „adios" i zasnął. Takie przewidział rozwiązanie, gdyby sprawy skomplikowały się bardziej, niż przypuszczał. Był na tyle mądry, aby się nie oszukiwać. Nie popadać w rozpacz, która stanowi preludium do przewlekłego cierpienia. Jest chyba ważne, aby mu nadać uroczysty charakter, zanim nadejdzie ostateczny koniec.

Dlatego kupił grata z siedemdziesiątego czwartego roku, wyściełanego bordowym pluszem, z rozklekotaną klimatyzacją, działającą od niechcenia w tym niemodnym aucie, zapewniającym przestrzeń i miejsce do spania. Nazywał je trumną, bo samochód był pokaźnych rozmiarów i w tak opłakanym stanie, że kierowcy ustępowali mu z drogi, widząc, jak Norman nonszalancko prowadzi. Oczywiście nie te nieogolone bubki z tirów, które żadnej dupie nie przepuszczą. Stopniowo przestał zwracać uwagę na ich trąbienie. Instynktownie zmieniał pas ruchu, byle nie mieć nikogo na plecach. Chciał, by nic go nie odrywało od wpływającej w niebo autostrady i powietrza, pozwalającego swobodnie oddychać. Wytrącony z równowagi wyciągał papierosa i uchylając okno, czuł wiatr na twarzy. Życie przestawało go obchodzić. Wciskając gaz do dechy, wyobrażał sobie nieskończoność. Skupiał się na wskazówce szybkościomierza, a chevrolet rzęził, lecz jechał dalej. Jakieś dziewięćdziesiąt mil od punktu, gdzie znajdowała się jego dusza. Nazywał ją wiekuistym spokojem.

Po drodze widział wiele miejsc, które mu się podobały. Jego chciwe na szybkość ego nie dawało mu odpocząć. Nie sądził, by to kiedykolwiek nastąpiło. Nie w obecnym życiu. Jasno zdawał sobie sprawę, że Bóg traktuje go gównianie. Nic na świecie nie raniło go tak, jak właśnie Bóg. Chętnie odwróciłby się do niego plecami. Było to jedyne pragnienie Normana. Plama jak po soku z jagód, która nie spiera się łatwiej niż krew.

Z czasem Hammer przestał dostrzegać różnice pomiędzy odwiedzanymi przez siebie miejscami. Przede wszystkim dlatego, że był zmęczony, a to, co mijał, przesuwało się przed oczami zbyt pospiesznie, więc nie zapamiętywał przejmujących, rozległych krajobrazów wartych każdego poświęcenia. Cóż jednak jest ważniejsze od chwil, które wracają do człowieka w ostatnim momencie życia?

Norman był pewien, że umierając, ujrzy kręgi światła na Atlantyku o wczesnym zachodzie słońca, setera biegnącego wzdłuż rozbijającej się o brzeg fali, kiedy siedział na plaży w Perth Amboy i zapalał po raz trzeci tego samego papierosa, przesiąkniętego słoną wodą. Wiele się dowiedział, obserwując naturę. Nikomu nie tłumaczył się ani nie opowiadał o doświadczeniach z nią związanych, chowając bardziej drażliwe wspomnienia na dnie pamięci. Po prostu bał się, że wspomnienia go kiedyś pochłoną i umrze odmóżdżony. Padnie jak mucha, przelatująca nad oparami siarki, unoszącymi się nad New Jersey.

Starał się być dobry dla siebie, nie mając nikogo, kto byłby dobry dla niego. Bywało, że spał w aucie wiele tygodni. Nie, właściwie ciągle spał w aucie, przecież nie mógł pójść, ot tak, do motelu. Za pięćdziesiąt dolarów wynająć pokój, gdzie przed chwilą na łóżku ktoś odpoczywał. Łóżko musi być święte i własne.

W bagażniku woził namiot. Latem, późnymi wieczorami, w otoczeniu lasu i gwiazd zastanawiał się, co będzie, jeśli zostanie zmuszony stanąć w miejscu. Nauczył się jeść na stojąco albo kucając na ziemi, oszukując się, że znalezione z pietyzmem schronienie jest nieskalane ludzkim dotykiem. Nie skarżył się Bogu, nie spowiadał ludziom, że stracił dom, żonę i córeczki. Ciągle opłakiwał ich nieobecność, skrępowany sytuacją, której nie potrafił rozwiązać. W końcu zauważył, że niedotykalność uczyniła go profilem człowieka. Była to nadzieja na zmianę. Tak się jednak nie stało; więc zadawał sobie często pytanie, dlaczego jest tak, jak jest. Ale zdarzało się, że sprawiało mu złośliwą przyjemność, kiedy widział, jak ludzie irytowali się, gdy przy najmniejszym dotyku odskakiwał od nich z dezaprobatą. Ignorował ich uwagi. Jego zmysł słuchu zamienił się w górę lodową, do której nie prowadziła żadna droga. Słowa nie mogły go już zranić. Ludzie przestali go interesować, co innego natura. Szmer deszczu, zwierzęta, ptaki – na tym się znał tak dobrze, jak na roślinach.

Miał odwagę nie patrzeć nikomu w oczy, oprócz siebie, dlatego z naturalnym spokojem odgarniał włosy z czoła, otrzepywał się z niepożądanego towarzystwa i odchodził, by dopaść najbliższej rzeki. Jej dotyk sprawiał mu radość.

Fale szumiały, obmywając ciało. Czuł wtedy, że jest płynnością, która nie zastygnie.

Czym więc były niezachwycające potknięcia losu, jak nazywał kontakt z drugim człowiekiem, w porównaniu ze zmiennością wody.

Pewnego popołudnia w Pensylwanii, gdy golił się przed bocznym lusterkiem, dziwnie się poczuł, patrząc na białą jak mąka twarz, wyraźnie zarysowane kości policzkowe, czoło z blizną, która była efektem uderzenia w głowę. W piwnicy domu bawił się z Marion w chowanego. Miał zawiązane oczy i chociaż wiedział, że krok od niego wystaje rura, nadział się na metal. Nie poczuł zranienia. Krew płynęła mu po twarzy, lecz nie uczynił nic, aby zetrzeć rubinową strugę, dopiero Marion, ukryta za pralką, zawołała:

– Tatusiu, coś ci się stało na czole.

W szpitalu w Summit założyli mu trzy szwy. Młody lekarz żartował, mówiąc, że do wesela się zagoi, ale Norman doskonale wiedział, że nawet ręce w gumowych rękawiczkach budziły w nim wstręt.

Nie wiedział, dlaczego ostatnio przypominają mu się Sue, Marion i młodsza Bunny. Prawie nie pamiętał, jak wyglądała, skłonny zgodzić się z opinią, że małe dzieci są podobne, jakby wszystkie były dziećmi jednych rodziców.

Bunny miała jego migdałowe oczy i dwa lata, gdy w nocy opuszczał dom. Pewnie chodziła już do szkoły w Sorenville, do której kiedyś odprowadzał Marion.

Na wspomnienie o własnej szkole i pannie Bell Norman kurczył się w sobie. Nie cierpiał tego.

Pękata jak gruszka baba nie dawała mu spokoju, bo pisanie liter było dla niego problemem, by nie wspomnieć o dłuższych słowach, ba, zdaniach. Przepisywał je z książek, byle nauczyć się chociaż w połowie pisać tak, żeby nie zwracać na siebie uwagi charakterem pisma. Godzinami ćwiczył podpis, aż doszedł do względnej perfekcji, gryzmoląc na kartkach „Norman Hammer, Norman Hammer", więc czego w życiu był pewien, to nazwiska, nie daty urodzin. Mylił się w obliczeniach i nie wiedział dokładnie, ile ma wzrostu i lat.

A może po prostu zapomniał, nie licząc się z czasem, którego nie mógł pokonać. Dlatego wolał przebywać na wyimaginowanej wyspie. Wsłuchiwać się w jej najlżejszy szmer, ale jednak z rezygnacją przyjmować odgłosy zbliżających się kroków. Nie było ich wiele. Po co ktoś miałby go odwiedzać, skoro nie potrafiłby mu ulżyć.

To przeświadczenie wystarczało, by nie opuszczał wyspy niezaznaczonej na żadnej mapie.

Norman nie lubił powrotów do dzieciństwa. Do ojca istniejącego w świecie jak nieustępliwy Bóg. Należało mu się poddać albo zginąć od jego gniewu. Obojętność między nimi była miażdżąca. Mijanie się w drodze do łazienki. Pospieszne wychodzenie do pracy i szkoły. Światło w pokojach do późna w nocy, gdzieś między jego obserwacjami snująca się matka, która budziła współczucie. Bolało go

21

jej życie, a charakter Normana nie ułatwiał niczego, choć dobrej woli miał aż nadto. Gdyby odważył się otworzyć przed nią, zapewne dzisiaj i tak nie byłoby mu lżej, bo zrozumiał, że już bardzo dawno temu oddalili się zbyt znacznie, aby kiedykolwiek mogli się jeszcze zbliżyć. To było chyba wówczas, kiedy zgubił czapkę i dostał od matki po głowie. Po raz pierwszy wystraszył się nie na żarty.

– Jak chcesz płakać, to po cichu. Nie krzycz, bo wsadzą cię do więzienia.

Z czasem płakanie niewidzialnymi łzami stało się łatwe, a piwnica zaczęła przypominać miniaturowe królestwo, w którym wszystko było na właściwym miejscu. Miał tam wóz strażacki, sznurek i hamak, który przymocował do kraty okiennej i haka na przeciwległej ścianie. Leżąc w hamaku, czuł się jak na chmurze, gdy kołysał się, obracając w palcach szklaną kulę, w której pływał aniołek o białych skrzydłach, oprószony płatkami śniegu. Norman kupił go zaraz po świętach. Sklepy wtedy pozbywają się towaru, zaniżając ceny tego, czego już sprzedać nie można.

W pewnym sensie Sue przypominała mu matkę. Zobaczył w niej jej pokorne odbicie i winę, która rosła w nim za pełne niezadowolenia dni, płynące monotonnie, do znudzenia, w domu, gdzie każdy najlżejszy dźwięk kaleczył uszy. Kiedy był mały, matka uszyła mu z aksamitnego kaftana tygrysa o kłapciatych uszach. W dzień zabierał Boba do szkoły, a w nocy przytulał się do niego i mogło się wydawać, że w senną podróż nigdy nie wybierał się sam. Zasypiając, wsłuchiwał się w szmery za drzwiami, dopóki dom nie pogrążył się w ciemności. Niektóre z desek podłogi skrzypiały, starał się liczyć skrzypnięcia, potem uciekać na koniec wyobraźni, aby to, co bolesne, oddaliło się, złagodniało i stało się niewidoczne, jakby owinięte w papier, który ukrywał przeżycia należące do zewnętrznego świata pełnego dzieci.

One zawsze mu dokuczały, ale Norman nikomu o tym nie mówił. Nie przyszło mu do głowy, że mógłby zwrócić się o pomoc do kogokolwiek. Nawet gdy dostał kamieniem w głowę, powiedział matce, że uderzył się o balustradę.

A było tak, że Justin Heinz, drąc się na całe gardło: „Te, dupek, fruwaj stąd" – rzucił za nim kamieniem, jakby chciał go wypłoszyć z boiska. To chyba wówczas Norman dowiedział się, że męski świat nie znosi słabości. „Jeśli jesteś słaby, lepiej ukryj się, zanim cię dopadnie i zapędzi w ślepy zaułek" – zapamiętał sobie te słowa, które słyszał na jakimś filmie. W kolejce po lunch Hammer zawsze był chłopcem, któremu wszystko spadało na podłogę. Naprawdę cienka granica dzieliła go od tego, aby uwierzył, że jest w piekle.

Wiele dzieci boi się ciemności, lecz Norman dodatkowo czuł przed nią respekt. Pokazywała wszystko, czego nie chciał zauważać w dzień. Smutek, biedę, rutynę niedzielnych obiadów, odprasowane spodnie donaszane po obcych. Ojca i matkę idących na spacerze jak dwoje dalekich sobie ludzi. W żaden sposób nie pojmował, co ich ze sobą łączyło. Żyli obok siebie, wręcz bez siebie, ale identycznie pokrywali się kurzem, którego nie mogli zmyć kostką taniego mydła, kupionego w Shop Rite. Norman z całych sił pragnął zapomnieć o nich. O przezwiskach w klasie i momencie, gdy zaczepiany zaczął oddawać ciosy. Tego nienawidził wspominać. Nie kontaktował się z rodzicami od czasu drugich urodzin Marion, ale obiecał sobie, że pewnego wieczoru zapuka do ich domu na przedmieściach Rochester. Elegancko ubrany i piekielnie bogaty, a oni powitają go, zamykając w objęciach, jakby mogli zreperować stare życie, które umarło, nie dając się narodzić nowemu. Ciekawe, jakby wyglądali, gdyby przeszłość można było ułożyć od początku.

Ale nawet myśląc w ten sposób, Hammer nie widział tego tak dobrze, jak na świątecznej kartce Hallmarku. Mamusia, tatuś, a pomiędzy nimi dzieciak z misiem. Całe przedstawienie na tle choinki, oprószonej szklistym pyłem, nad którą unosi się napis „Merry Christmas", oplatający ich jak łańcuch. Kiepski, skoro ogniwa łatwo rozdzielić. Choinkę też da się wystawić na sprzedaż. Gorzej jest z misiem. Trudno pozbyć się go z pamięci, w której wcześniej czy później pojawi się dziura wielka jak oko.

Kiedy kończy się dzieciństwo, patrzymy na świat przez pustkę. Hammer uświadomił to sobie dawno temu i nie szukał u nikogo aprobaty. Bywało, że traktował siebie z niezwykłą wyrozumiałością, która łagodziła osamotnienie, tak jak dobre słowo od obcego człowieka łagodzi ból umierającego.

Ucieczka z Grand Hill

Mimo że Norman był stale w drodze, najmował się do pracy, aby zarobić na benzynę. Wiosną zatrudniał się do pielenia i porządkowania ogrodów. Kiedy indziej wywoził śmieci z plaży po sezonie. Zimą najwięcej zarabiał przed świętami, pomagając ludziom w pracach domowych. Wszystko za cenę paliwa. Chciał być jak sekundnik. Biec do przodu, choćby w kółko, ale do przodu; nie oszukujmy się, jest to jakimś rozwiązaniem, jeśli nie lubi się zastoju do tego stopnia, że ryzykuje się życie, przy minimalnej próbie grożącej wypadnięciem z obiegu wokół własnej osi.

Prawda, że opuścił Sue i dziewczynki po tym, jak zaproponowała mu wizytę u psychiatry, głosem żony, która stara się być troskliwa i słodka, a smakuje jak sztuczny miód.

Siedział w fotelu i patrzył w okno, kiedy wyrwała go z odrętwienia. Wydało mu się, że ktoś zapukał w drzwi. Nie przyszło mu do głowy, że Sue może wiedzieć o ich istnieniu. Był pewien, że wchodząc do swojego wewnętrznego świata,

25

maskował wejście dokładnie. Był tam jak zwierzę, które najbezpieczniej czuje się w ciemnej grocie. Chyba dlatego lubił chodzić do zoo, ale odwiedzał wyłącznie te, w których zwierzęta były trzymane prawie na wolności. Prawie, bo odgradzała je od ludzi stalowa banda albo pancerna szyba, co nie zmieniało ich sytuacji. Były w klatkach, ekskluzywnych, lecz klatkach. Patrząc na zwierzęta, obserwował ich wilgotne oczy, wyrażające uczucia, o jakich nie miał pojęcia. Domyślał się ich, porównując swoje pragnienia, których nie posiadał za wiele, bo ograniczył oczekiwania względem życia niemal do zera, nie dopuszczając do siebie myśli, że mogą się zwielokrotnić. Ale czego więcej potrzebował? Było, jak było. Nikt nie miał nad nim żadnej mocy. Nie spodziewał się zresztą niczego ponad to, co go otaczało; a otaczała go codzienna otchłań.

W ogrodach zoologicznych zawsze godzinami wpatrywał się w wyprężone, łaciate sylwetki żyraf. W długie szyje i podłużne głowy o ogromnych oczach. Gdyby chciały, sięgnęłyby nieba i kopnięciem strąciły słońce. Czytał kiedyś afrykańską opowieść o żyrafach, biegających za światłem, i zapamiętał ją, ani słowem nie wspominając o niej nikomu. No więc wpatrując się w okno i siedząc nieruchomo w fotelu, jak przez mgłę usłyszał Sue:

– Kochanie, kochanie, może doktor Larsen mógłby nam pomóc. Norman, słyszysz mnie?!

Dotarło do niego, że powiedziała n a m, jakby jego problem i jej dotyczył. Zauważył cierpko, że osiemdziesiąt procent kobiet to gęsi, a tych wybitnych jest mało, ale odparł:

– Rano do niego zadzwonię.

Zadowoliła się odpowiedzią. Popijając wino, pochyliła głowę, smukłymi palcami objęła kieliszek, jakby chciała dopatrzyć się na dnie klarownej substancji okruchów miłości do człowieka, nazbyt dalekiego od przyrzeczonego jej wspólnego życia. Już dawno padł na nie cień i chociaż usiłowała powiedzieć coś, co przekonałoby go, że naprawdę jej na nim zależy, nie znalazła odpowiednich słów, aby siebie wyrazić. Nie była nawet przeświadczona, że gdyby je znalazła, mąż zrozumiałby ją właściwie. Wyraz twarzy miała zmartwiony i bez nadziei. Siedziała jak na szpilkach i w pewnym momencie miała wrażenie, że jeśli zechce, to potrafi wzrokiem wygiąć łyżeczkę. Wzbierała w niej złość, bo Norman patrzył na nią z wyższością. Na jej szerokie, wydęte usta i oczy króliczo czerwone od płaczu, którego nie było słychać. Blond włosy spięła w kok. Pojedyncze kosmyki opadały na jej słowiańskie policzki. Powinna być radością dla innego mężczyzny, więc czemu on się z nią ożenił? Nie była zbyt lotna, lecz potrafiła być miła. Na pozór idealnie pasowała do danych statystycznych i nie wymagała od niego wiele, tylko żeby stworzyli rodzinę, mieli dzieci, sok pomarańczowy na śniadanie, aby piekli indyka na Dzień Dziękczynienia, oszczędzali na szkołę, jeździli do Europy, co im się nie udało. A jak przyszła na świat Bunny, zaczęli marzyć o Kalifornii, minimalizując marzenia.

„Czego Sue chce, po co się do mnie przysuwa, czy nie widzi, że jej nie pragnę?" – zadawał sobie wówczas pytanie, a ona chciała go przytulić.

W porę podniósł się z fotela, idąc do pokoju dzieci, żeby nie mieć jej na karku. Dobrze wiedział, jaka potrafi być, kiedy sobie wypije.

Gdy wychodził, Sue wylała zawartość kieliszka na podłogę. Udał, że nie widzi na dywanie plamy w kolorze krwi. Szedł po schodach, palcem dotykając metalowej barierki. Sypialnia dziewczynek była na górze. Ku swojemu zdziwieniu nie usłyszał, by Sue go zawołała albo obraziła. Wyglądało to poważnie. Bał się tak, że aż nogi się pod nim ugięły. Czuł się bezradny jak dziecko, ale to wcale nie zmieniło rzeczywistości. Wiedział tylko, że nigdy wcześniej nie było z nim tak źle. Skrzywił się, rozczarowany, a gdy usłyszał trzask drzwi, oparł się o ścianę i prawie szlochając, cudem dotarł do Marion i Bunny. Dziewczynki już spały. W obawie, że się obudzą, nie ośmielił się na nie patrzeć długo, mimo to z trudem oderwał od nich wzrok. Kiedy tak stał w ich pokoju, a uliczne światło odbijało się na suficie, chciał, aby się wszystko odmieniło. Nie wiedział tylko, w jaki sposób mógłby to zrobić. Żałował dwóch słodkich istot, które opuszczał, bo z nimi umiał obcować. Pozwalał się dotykać, nie często, ale godził się na bliskość, starając się nie pokazywać, ile go kosztuje dotyk, aż przestał się oszukiwać, gdy po uścisku Bunny wyskoczył mu na szyi krwisty bąbel. Posmarował go maścią na oparzenia i ukrył przed Sue, kładąc się spać w golfie. To przypieczętowało jego decyzję.

Dwie noce po tym zdarzeniu spakował parę drobiazgów, kilka książek. Wziął wspólną kartę kredytową City Banku, wiedząc, że będzie potrzebował pieniędzy, a jej pomogą rodzice. W kuchni, pod tosterem, zostawił klucze od vana i list:

„Wybacz, nie mogłem dłużej udawać tego, kim nie jestem. Przepraszam cię, Sue. Dalsze życie ze mną byłoby dla was koszmarem. Wytłumacz dziewczynkom. Kiedyś wrócę. Błagam, nie mów im nigdy, że umarłem. Wymyśl coś innego. Norman".

Zamknął drzwi i wyszedł na autostradę.

Do świtu brakowało dwóch godzin. Niebo nie szarzało. Powietrze było zimne, rosa mieniła się w świetle ulicznych lamp. Domy spały. Otworzył puszkę z farbą, pozostałą po malowaniu łazienki. Na Maine Street napisał złotymi, chwiejącymi się literami: „Norman is normal: Norman Hammer".

Żeby rano Grand Hill wiedziało, kto to zrobił.

Przy wylocie z miasteczka wsiadł do tira. Pojechał w stronę Buffalo, gadając z kierowcą o czymkolwiek, byle się nie rozpłakać. Ukradkowe łzy napływały mu do oczu, więc mimo woli opowiedział zmyśloną historyjkę o zdradzającej go żonie. O tym, że dłużej nie mógł na nią patrzeć, że postanowił przeciąć koszmar, uciec od przeszłości. Darował sobie drobne kłamstewko, jak człowiek, który broni się przed powiedzeniem niewiarygodnej prawdy, choć nie ma co, rzeczywiście wypłakał się i obojętne mu było, co mężczyzna pomyśli, dlatego że nie wierzył, aby go słuchał. Nie wspomniał o pozostałych rzeczach, gnębiących go na równi z opuszczeniem Sue.

Gdyby umiał znaleźć odpowiednie słowa, nie wykluczał możliwości powiedzenia o nich. Rozżalenie na los pchało go do przodu. Niebo na wschodzie jaśniało, kiedy Art sięgnął po stare jak świat słowa pocieszenia:

– Wszystkie one podobne, suki. – Zaśmiał się i pociągnął z butelki. – Pewnie się jej zdawało, że znajdzie lepszego, każda tak sądzi, dopóki się nie przekona, że ten drugi jest do niczego.

Potem zapadła cisza. Norman widział w niej strzałkę szybkościomierza, oddalającą go od Grand Hill. Godzina na zegarze była nicością. Aby nie dać się jej ujarzmić, był na to tylko jeden sposób. Norman nie wiedział jeszcze o nim, kiedy patrzył na łuszczące się, polakierowane na niebiesko drzwi, na których Art ponaklejał kobiece akty z „Hustlera". Niektóre zdjęcia pokrywały plamy smaru i kurz. Było to niebo rasowego kierowcy tira. Kawałek wolności na autostradach całych Stanów. Wystarczyło przystanąć na jakimkolwiek parkingu, aby to niebo, mające smak szybkiego seksu, otworzyło się, dając kierowcom to, czego chcieli. Jednak tylko szaleniec myślałby, że znajdzie tam miłość swojego życia.

Monotonia jazdy i whisky uśpiły Normana. Obudził się na parkingu. Art spał okryty kocem. Najciszej, jak umiał, Hammer opuścił ciężarówkę. Kac rozsadzał mu głowę. Była szósta rano. Łańcuch drzew, który go otaczał, rysował się wyraźnym konturem na niebie. Wilgoć skraplała się na szybach, obiecując ładny dzień. Pierwsze silniki grzały się do drogi. Norman wskoczył do następnego tira, po cichu, jakby ze wstydem opuścił Arta, będącego świadkiem jego słabości. Tir, do którego się przesiadł, miał żółtozieloną naczepę, a na masce logo Fresh Fields. Znów pojechał w nieznaną stronę, kompletnie zagubiony w drodze.

– Nie dotykać, nie dotykać...

Bredził przez sen, nieświadomy tego, co powtarzał. Był odtąd poza dotychczasowym życiem. Poza wszystkim, co znał. Kiedy się obudził, nowo poznany kierowca słuchał szemrzącego radia i nie odrywał oczu od drogi. Na czoło wcisnął granatową czapkę. Jego policzki były zaczerwienione od ciepła, ręce brudne od smaru. Ściągnął lekko brwi, patrząc na Normana, ale nic nie powiedział. On zaś o nic nie zapytał, wtulony w kąt, gdzie powiesił kurtkę. Tym razem nie puścił pary z gęby, a facet nie był ciekawski. Nie zadawał pytań. Chyba oddawał się jałowym rozmyślaniom, przesuwając wzrokiem po autostradzie. Widać było, że jest zmęczony, pewnie dlatego cicho pogwizdywał.

Kiedy przystanęli, aby się umyć i coś zjeść, siedzieli jak obcy, bo tacy sobie się wydali, dzieląc czas w trasie, która dla każdego miała identyczny kierunek. Ale różny sens.

Norman nie był poetą, jednak zastanawiał się nad światem, nad sobą. Zdarzało się, że dopadała go melancholia i nie opuszczała przez wiele dni. Znalazł na nią lekarstwo. Jechał w głąb lasu, wysiadał z auta i jak wilk gapił się w niebo. Trochę się bał, że ktoś usłyszy te skargi, dlatego zwijał rękę w kułak i krzyczał, tłumiąc dźwięk, który nie przypominał jego dawnego głosu. Potrafił nie wychodzić z lasu godzinami. Towarzystwo drzew koiło go szeleszczącymi rozmowami liści, którym się przysłuchiwał. Liczył postukiwania dzięcioła. Obserwował owady krzątające się między źdźbłami trawy. Mrówki wstawały najwcześniej, w zasadzie nie przestając pracować. Szare wiewiórki, kiedy podsuwał im szyszki i żołędzie, podchodziły do niego. Żal mu było opuszczać ich przestrzeń, ale ciągnęło go dalej. Niezmiennie dalej od punktu, w którym tkwił, aby dojść do siebie. Natura i Norman: te słowa wydawały mu się podobne. Wyjątkowo pasowały do siebie i do niego, jak wielokrotnie pisał na ulicach przypadkowych miast, by w ten sposób zostawić znak.

Być może kiedyś dziewczynki i Sue go odczytają. Nie mógł do nich wrócić. Ślubował nie uczynić tego, dopóki będzie taki, jakim się stał.

Innym być nie mógł, więc może był coś wart?

Nie wszystko w życiu zmienia się równie ciężko, jak wyobrażenia na swój temat. Norman niczego sobie nie wyobrażał. Dawno odsunął wyobraźnię na margines. Okoliczności nauczyły go czekać cierpliwie na korzystne odwrócenie biegu wydarzeń. Włóczył się po drogach, nie orientując się dokładnie, gdzie jest. Niechętnie wspominał podróże tirami. Naprawdę wolny poczuł się, gdy siadł za kierownicą chevy. Przestał myśleć, że ktoś go dotknie ręką szorstką jak papier ścierny, którego stolarze używają do wygładzania sęków. Szkoda, że przeszłość nie daje się wyszlifować w identyczny sposób. Każde zgrubienie w życiorysie pozbawiłby racji bytu.

Odkąd zostawił Sue, musiał zadbać o siebie. Wkrótce przekonał się, że bardziej od zakupów nie cierpi korzystania z publicznych toalet i pralni. Toalety napawały go odrazą. Szczególnie na stacjach benzynowych, a pralnie, cóż – ludzie, którzy się tam spotykali, z dziecinną ufnością mówili o sobie, opowiadając prywatne historie, jakby zawierały wydarzenia godne uwagi każdego, kto znalazł się w zasięgu ich wzroku. Tak musiało im się wydawać, albo przeciwnie, czuli się bezpieczni, nie myśląc, że ktoś może w przyszłości wykorzystać fragmenty ich życia. Norman wybierał porę, kiedy nie było w pralniach nikogo, oprócz właściciela. Zazwyczaj około pierwszej w nocy. Pieniądze odliczał co do centa, na trzy pralki i suszarkę. W pierwszej prał bieliznę, w drugiej spodnie, w trzeciej koszule. Patrzył, jak migały w bębnie, nasiąkając wodą i pianą. Potem suszył je dwadzieścia minut i składał na kupki, pakował do lnianej torby. Starał się wykonywać kolejne czynności wolno. Bał się pomylić, by nie zaczynać składania od początku. Szukał między rzeczami podobieństw, ulegając pokusie łączenia ich we wspomnienia, które przekazywały mu jego własną wiedzę o świecie, w jakimś stopniu równoważąc brak odpowiedniego towarzystwa. Ten niewyróżniający się człowiek był zarazem najbardziej rzucającym się w oczy dziwakiem, gorąco przywiązanym do siebie.

W pralniach często poniewierały się kolorowe tygodniki i codzienne gazety. Przeglądał je. Chłonął informacje i plotki, pastwiąc się nad zuchwałymi artykułami i zdjęciami okrucieństw, jakich było pełno wokół. Myśl, że ktoś identyfikuje się z nimi, odbierała mu ochotę zobaczenia jutra. Ale zanim zabrał się do czytania, najpierw kładł kilka stron wyrwanych z gazety na fotel, by móc usiąść. Udawał opuszczonego ojca rodziny, nieco markotnego, by mieć święty spokój. Wymyślił ponad tuzin fałszywych życiorysów, gdyby nie było odwrotu i musiał się odezwać. Sięgał wtedy po dowolną historię, starając się sprostać oczekiwaniom osoby, która go zaczepiała, ale mówił niewiele, a z uwagi na trudność związaną z wymianą uprzejmości prawie milczał, gasząc w obcych ochotę do rozmowy.

Jedno pranie kosztowało go dolara i pięćdziesiąt centów, z suszeniem pięć dolarów. Jeśli dodał mały proszek, wychodziło sześć dolarów. W pralniach było przeważnie od dziesięciu do dwunastu automatów, wybierał pralki stojące najdalej od wejścia. Rzadko, choć bywało, na wysoko zawieszonej półce stał telewizor. Kiedy Norman był sam, włączał go od niechcenia, wyciągał nogi i udając kompletnie znudzonego faceta, przerzucał kanał po kanale, nigdzie nie zatrzymując się na dłużej. Zdarzało się to wyjątkowo. Raczej siedział jak w poczekalni u dentysty, mnożył obrazki wiszące na ścianach, kąty, kubły na śmieci, podłużne stoły i wózki do przewożenia odzieży. Liczył obroty bębna, gapiąc się w zielone światełko, świadczące, że maszyna jest w użyciu. Czasami, jeśli czuł się gorzej, trzymał ręce w kieszeniach, chodził tam i z powrotem. Po trzech godzinach opuszczał pralnię. Nad ranem, w aucie przebierał się w czystą, jeszcze ciepłą odzież, później odjeżdżał. Na pierwszym lepszym parkingu zatrzymywał się i zasypiał. Parę chwil wcześniej pisał na głównej ulicy nieśmiertelne zdanie: „Norman is normal", od początku konsekwentnie trzymał się założenia, aby dwa razy nie zjawiać się w mieście, które już znał. Chociaż i tego przestał być pewien. Minął czas oczarowania wolnością, żalu nad niezawinionym cierpieniem. Pretensje ulotniły się wraz z darem obcowania z innymi. Żył bez grymasów. Pozwalając sobie marnieć, nie wiedział, kiedy przerwać osuwanie się w przepaść. Starannie chronił się przed dotykiem. Przed zastojem. Jak fala płynął na skały, którymi było jutro. Lęk chwytający go za gardło osłabł, chociaż nie przestał być cząstką jego osoby uczepionej wiary.

Jej symbolicznego znaczenia nie umiał z niczym trafnie porównać, chyba tylko z nadzieją. Składając te słowa jak złamane kości, odrzucał wątpliwość, że mogą się nie zrosnąć.

Małżeństwo z Sue Brown i rodzice

Kiedy przyszła na świat Marion, krew z krwi, kość z jego kości, nie było go w Grand Hill. To stało się nagle. Ciąża, poród i dziewczynka, która weszła do jego życia zbyt wcześnie. Znał ją od trzeciego dnia jej istnienia. Nie od razu zwariował na jej punkcie. Miłość przychodziła stopniowo i zniknęła z pojawieniem się Bunny. Nie miał wątpliwości, że druga córka stanowiła jego fizyczną kopię. Zdjęcia potwierdzały spostrzeżenie, ale nawet ona nie była w stanie zatrzymać go w domu. Opuszczając rodzinę, zostawił przy jej łóżeczku białego króla i czarną królową z kompletu szachów, który otrzymał od ojca, gdy w szkole średniej wygrał szkolny turniej i z dnia na dzień, ale na krótko, zdobył popularność wśród rówieśników. Zapraszano go na party, dziewczyny wsuwały mu do szafki liściki, a Rocky Benson, za którym uganiały się dwa tuziny dziewuch, przestał nazywać go mięczakiem. Przynajmniej przez miesiąc. Jednak szkoła to było piekło. Chwała Bogu, że udało mu się załapać na dobre stypendium i wynieść się do Michigan; jak kameleon zmienił tam skórę, stając się, jakby wbrew sobie, kimś, kto pod zwojami mięśni, kości powleczonych cienką skórą, ukrywał mózg.

Na campusie poznał swoją pierwszą dziewczynę, w czasach, kiedy kobiety walczyły o równouprawnienie, paląc staniki i wczytując się w wiersze Sylvii Plath. Każda chciała być Sylvią. Każda chciała być genialna, nie dać się zapędzić do garów, tylko pisać wiersze i spalać się na ołtarzu sztuki. Podchodził do tego sceptycznie. Bał się silnych kobiet, chociaż wierzył, że z kimś podobnym do Susan Sontag potrafiłby być szczęśliwy. No, ale ona była lesbijką. Wtedy nie przypuszczał, że szczęście to utopia. Atlantyda, która czeka na odkrycie, gdzie, kiedy, przez kogo, kto by tam wiedział.

Czy dlatego, że nie był pewien jutra, ożenił się z Susan Brown?

Nie mogła nazywać się banalniej. Nie mogła wyglądać inaczej niż podrabiana Doris Day. A jego małżeństwo, hm... Określał je krótko: made in Taiwan. Szklany bibelot, jakimi są zawalone stragany w Chinatown. Nie rozmawiał o swoich uczuciach z Susan. Nie chciało mu się. Bo i po co? Czy słowa potrafią cokolwiek odmienić?

Owszem, kupował jej bez okazji kwiaty, pamiętał o rocznicy ślubu, mówił, że jest ładna i seksowna jak diabli, chociaż ich seks był nieporozumieniem, lecz chyba obydwoje świetnie weszli w role. Sue czytała poradniki, statystyki, kupowała fosforyzujące kondomy, w których

37

jego fiut świecił jak idiota, aż przebrała się miarka, kiedy znalazł pod poduszką kajdanki, obleczone w różowe sztuczne futerko. Polaroid leżał na swoim miejscu. Któż by dojrzał wizje markiza de Sade'a, rojące się w głowie gospodyni domowej?

Jedynie Hammer wiedział, że Sue w komodzie z wiśniowego drzewa w górnej szufladzie chowała kolekcję miniaturowych noży z chirurgicznej stali. Służyły do drobnych nacięć, które niekiedy zadawała sobie w trakcie miłosnych nocy. Wąskie blizny nie dłuższe od sosnowej igły były ułożone starannie na jej lewym przedramieniu. Ostatnie dwa nacięcia były różowe. Czasami Sue, patrząc na swoje blizny, zastanawiała się głośno, czy nie pokryć ich barwnym tatuażem, bo w lecie musiała nosić podkoszulki z długim rękawem, co nie było wygodne, biorąc pod uwagę temperaturę, ale jakoś nie zdobyła się na ten krok, chociaż ból, jak sama mówiła, był dla niej wstępem do ekstazy. Hammer nie podzielał jej zainteresowań. Bał się nawet, że gdyby skrytykował jej upodobania, przez kilka dni musiałby znosić trzaskanie drzwiami. Mówiła wtedy:

– Denerwujesz mnie, naprawdę mnie denerwujesz.

Kiedy Sue się wyładowała, w domu robiło się spokojniej. Przez kilka dni chodziła jak szwajcarski zegarek. Nie wykorzystywał sytuacji. Zamykał się w sypialni i patrzył przez okno albo chodził tam i z powrotem po ogrodzie. Wolał milczeć. Uzbroić się w wyrozumiałość i miłość, jakby narastało w nim przekonanie, że skoro życie samo oddala się od niego niczym bańka mydlana, to na-

prawdę nic nie można zrobić, tylko godzić się na nieobecnienie we wrogim mu świecie.

W gruncie rzeczy był przecież zwykłym facetem. Nie
zdradził Sue. Seks wcale nie był taki ważny dla niego,
jak udawał przed nią, przed sobą. Nie wie, czy ona miała
kogoś poza nim. Nie interesował się tym. Byłby zadowolony, gdyby znalazła sobie kochanka. Mdliło go, kiedy
włączała swoje filmy, zamawiane pocztą. Kłamał, że
je ogląda, lecz kiedy Sue zauważyła, że przysypia, do-
gryzała mu:

– Nie śpij, rusz się.

Ale on się nie ruszał. Udawał niewidzialnego, wiedząc,
że ona jest zbyt widzialna, aby czuł się bezpiecznie. Noc
pokazywała ciemną stronę natury Susan, którą starał się
ogarnąć, wzruszając ramionami, jeśli rzeczy stawały się
nie do pojęcia.

Odchodził od Susan wolno i wolno wchłaniała go mgła
wewnętrznego odosobnienia, poprzez którą zaczynał patrzeć na wszystko. Jakby spowijał go dym, gęstniejący
z roku na rok, aż Hammer przestał widzieć cokolwiek
poza sobą. Zapisywał zeszyty w linie zdaniem: „Norman
is normal". Przez lata uzbierało się ich trochę. Schował
je w piwnicy, w starym pudle po nadmuchiwanym base-
nie, który kupił Marion na czwarte urodziny.

Kiedyś rodzina znajdzie je starannie posegregowane,
z datami kolejnych, upływających lat, podczas których
starał się zachować rozsądek i wmawiać sobie, że wszystko jest w porządku, a zmiana zbliżała się w jego kierunku, nie sygnalizując tego, na co się zanosiło.

On sam nie potrafił określić swojej bliskiej ani dalekiej przyszłości. Odczuwał wyłącznie lęk i nie miał na niego sposobu, dopóki nie zatrzasnął się w sobie, dziwny. Dziwniejszy, nawet dla lustra. Nie wiedział, dlaczego deformowało jego zatrzymane odbicie, niebędące przepustką do jakiegokolwiek świata, jeśli w ogóle jakikolwiek świat znajdował się po drugiej stronie tego, na co patrzył Norman Hammer.

Cokolwiek myślał, myśli prowadziły go w głąb siebie. Drżał wtedy na ciele, jak gdyby miał nagle wyskoczyć z ciasnego pokoju, wyrzekając się tymczasowo siebie, by staranniej ukryć się w pozie, dającej gwarancję na przeżycie następnej doby. Aby zmniejszyć napięcie, powolnie, precyzyjnym ruchem darł gazety, ślinił strzępki i lepił kulę, która była tym większa, im większe napięcie rozsadzało głowę. Najlepiej nadawały się do tego dzienniki. Papier był cienki. Pozwalał się formować, a pośliniony, tracił biały kolor, robił się szary, potem żółtoszary, na podobieństwo skały wapiennej. Rygorystycznie przestrzegał rytuału robienia kul. Woził je w chevrolecie, gdy chciał rozpalić ognisko, korzystał z nich, paląc w ten sposób to, co go niszczyło i ocalało zarazem. Może ktoś rzucił na niego czary, skoro nie potrafił wyrwać się z kręgu samowystarczalności, która zminimalizowała jego potrzeby. Skąd mógł wiedzieć?

Raz, kiedy w lesie, na polu namiotowym w Nowej Anglii, zastanawiał się nad tym, rozmyślania przerwały mu szelesty. Noc była gwiaździsta, ognisko dogasało. Cykały świerszcze, świetliki tu i tam sygnalizowały ciemności o własnym istnieniu. Norman zamarł w obawie, że będzie musiał się odezwać. Naprężył nerwy, ale to tylko zajęta sobą para, dziewczyna z chłopakiem, przeszła obok. Nie drgnął. Patrzył w przestrzeń, udając głuchego, choć słuch wyczulił na najmniejsze drganie fali dźwięku, co było torturą. Już nie sprzeniewierzyłby się niczemu, aby jej uniknąć, bo nie stawiał oporu temu, co przynosiło przeznaczenie, użyteczny dla siebie, nie chciał przeszkadzać nikomu. Jeśli wchodził między ludzi, to po to, żeby stać się wśród nich niewidzialnym. To woda go koiła, nie głosy. Lubił patrzyć na jezioro, gdy nie było wiatru i odbicie realnego świata zarysowane na tafli nie poruszało się w rytm wskazówek zegara. Może w wodzie Norman starał się dostrzec wizerunek nie chmur, lecz Boga. Czegoś, co przyniosłoby jakąkolwiek odpowiedź na pytania, których nie miał ochoty stawiać, a które jakby na siłę piętrzyły się w umyśle. Aby oderwać się od znaków zapytania, które miał w głowie, wstępował, jeżeli pojawiła się okazja, do wesołego miasteczka. Patrzył na karuzele i żałował, że jako chłopiec nie nacieszył się nimi do woli. Wyszukiwał miejsce na uboczu, obserwując rozbawione dzieci na malowanych rumakach, pędzących nie wiadomo dokąd.

Pewnego dnia zebrał się na odwagę i usiadł na drewnianym koniu. Dziesięć razy kręcił się jakby wokół Ziemi. Dzieciaki spoglądały na niego, a Norman z każdym obrotem młodniał. Potem poszedł po watę cukrową, ostrożnie wyciągając dolara i biorąc końcami palców podaną mu przez Hindusa puszystą kulę, niby utkaną

41

przez pająka i rozpuszczającą się w ustach. A w ogóle lubił jeść słodycze, więc jeśli nie miał pieniędzy, kupował tanie czekolady, którymi napychał się tak długo, aż nie znalazł pracy.

Gdyby nie stronił od ludzi, poszedłby na tyły McDonalda, gdzie rano wyrzucano całkiem dobre hamburgery, sałatę, mleko. Nic z tego. Wolał chodzić głodny, niż zamienić się w szczura. To rozwiązanie było zarezerwowane dla młodocianych desperatów, szukających szczęścia z dala od rodzinnego domu. Był za stary, aby się skazać na uliczne życie. Pamiętał, że trzy lata temu, w chwili słabości, dokładnie dzień przed Świętem Dziękczynienia zadzwonił do Sue. Głos uwiązł mu w krtani. Odebrała Marion. Rzucił słuchawkę i płakał, jadąc, gdzie oczy poniosą. Policja go nie zaczepiała. Dbał o to, by nie wyglądać jak biedacy, którzy ustawiają się w kolejce do Armii Zbawienia. Przecież powtarzał sobie bez ustanku, że Norman is normal, tak że to przekonanie musiało mu wreszcie przynieść siłę. Żył, jakby za moment miał być poproszony o wyniesienie się ze świata, do którego wszedł tylnymi schodami, niezawołany na pokoje przez nikogo. Matka mu zawsze mówiła:

– Norman, masz jedno życie, nie zmarnuj go, bo drugiej szansy Bóg ci nie da. Popatrz na mnie, wszystko ci poświęciłam, wiesz, że na ojca nigdy nie mogłam liczyć. Walcz o siebie.

A kiedy dorastał, dodawała:

– Nie kłóć się z ojcem, on cię kocha, ale swoją miłością. Jesteś jego jedynym dzieckiem.

Czuł się przywiązany do rodziców, a może przeważało w nim poczucie winy za życie, na które narzekali. Doszukiwał się w sobie winy, bo pojawił się między nimi i w pewnym sensie rozdzielił, kradnąc uczucie, jakie mieli dla siebie, więc wreszcie któregoś dnia to, co łączyło Martę Abrams i Nathana Hammera, zniknęło, pozostawiwszy pustą, niedającą się zapełnić przestrzeń, gdzie nie było radości. Jedynie monotonia wzajemnego znoszenia się i milczące przeświadczenie, że niczego nie da się zreperować. Trzeba by nie lada krawca, aby umiał sobie poradzić ze skrojeniem nowej skóry dla każdego z nich.

Do pokoju ojca nie wolno było Normanowi wchodzić pod żadnym pozorem. Gdy był mały, zaglądał przez dziurkę od klucza, żeby zobaczyć, co się tam dzieje i co tam jest. Kiedy Nathan Hammer przyłapał go na podglądaniu, zakleił z drugiej strony zamek plastrem i nie pozwolił synowi wychodzić do parku przez tydzień. Miał sobie zapamiętać, że słowo ojca jest święte, jak święty jest Bóg i Stary Testament. Matka nie sprzeciwiała się. Ciszę nazywała pokorą. To miało nauczyć Normana dyscypliny.

W rzeczywistości ojciec nic nie ukrywał przed synem. W pokoju stały: duże łóżko, komoda, szafa, a na wprost okna stół. Leżało na nim starannie zastruganych pięć cedrowych ołówków, gumka do mazania, scyzoryk, miedziany drut nawinięty na szpulę i paczka pokarmu dla złotej rybki Normana. Ojciec wydzielał mu proszek dwa razy dziennie po szczypcie, zaznaczając, żeby nie sypał za dużo do słoika i nie przekarmiał Woopie. Patrzył na nią i nie mówił, że umrze, a zdechnie. Kiedy ryba odeszła do innego wymiaru, ojciec stwierdził:

– A nie mówiłem? Zdechła.

Norman miał ochotę odpowiedzieć: „ty zdechniesz", lecz ugryzł się w język i nie dał poznać po sobie, że cierpi. Za dwa dni zobaczył w kuchni pływającą w nylonowym woreczku rybę o identycznie wyłupiastych oczach. Ojciec, wychodząc do pracy, rzucił w drzwiach:

– Weź ją do siebie, będzie miała weselej.

Zawsze jest lepiej mieć cokolwiek niż nic, a o kocie lub psie rodzice nie chcieli słyszeć. Koty śmierdziały, psy szczekały, więc w końcu musiał pogodzić się z obecnością rybek, które nie szczekały. Nie śmierdziały. Nie niszczyły mebli. Tylko umierały zbyt wcześnie, zostawiając Normana ze zmasakrowanym sercem, które regenerowało się, aby być siedliskiem nowego bólu, gotowego się zabliźnić, lecz nie na długo.

W zasadzie Norman nigdy nie mógł mieć tego, o czym marzył. Tak było z rowerem. Miały go wszystkie dzieci oprócz niego. Bo mógł się zabić, rozbić głowę, złamać rękę, co przecież kosztuje, a ubezpieczenie było marne, nie pokrywało w stu procentach leczenia. Patrzył zazdrosnymi oczami na kolegów urządzających wyścigi. Czasami któryś dawał mu pojeździć, na przykład zrobić dwa okrążenia wokół placu. Jednak Norman szybko nauczył się odrzucać ich gesty, wolał siedzieć pod drzewem i rozgrywać sam ze sobą partie szachów, co w rezultacie spowodowało, że zaczęto go przezywać Pionkiem. Nie może powiedzieć, że ojciec go źle traktował. Za lekkie przewinienie nie pozwalał mu wychodzić z domu. Za średnie, na przykład za zniszczenie ubrania lub głośne zachowanie, musiał dwie godziny klęczeć pod ścianą z podniesionymi rękami, a za ciężkie, czyli próbę sprzeciwu, dostawał w skórę łapką na muchy. Liczba uderzeń nie przekraczała dwunastu razów. Normanowi nie wolno było krzyczeć ani płakać. Po wymierzonej karze musiał iść do pokoju, pisać po sto razy: „będę grzeczny, nie będę denerwował tatusia". To miało go zmienić i wpłynąć na charakter jego pisma.

Marta nie broniła syna. W obawie przed gniewem męża schodziła mu z drogi, przekonana, że chłopak potrzebuje silnej ręki. Wychodziła wtedy z domu, siadała na werandzie i kołysząc się w fotelu, uciekała od miejsca, które nie wyglądało tak, jak je wymyśliła, wydając się za mąż i projektując życie, gdzie miały być miłość, dziecko. Rano placki kukurydziane i chrupiący bekon. Kolorowe firanki w oknach, wakacje na Florydzie i wiele innych rzeczy, jakich nie udało się jej zrealizować wspólnie z Nathanem Hammerem, który nie był złym człowiekiem, tylko trudnym. Może gdyby Norman był ich prawdziwym synem, małżeństwo Hammerów wyglądałoby inaczej. Właściwie Nathan nie pogodził się z tym, że on i Marta nie mogą mieć własnego dziecka. Bóg mu świadkiem, starał się w Normanie doszukać jakiegokolwiek podobieństwa. Iskry łączącej ich obu. Na próżno.

45

Różniło ich wiele rzeczy, kolor włosów i skóry, kształt rąk. Upodobania i temperamenty. Mały często go denerwował. Wydawało mu się, że specjalnie trzaska drzwiami, rozrzuca ubrania i chodzi nago po kuchni. Norman jakby na wieczność należał do innych rodziców.

Jego biologiczna matka była nastolatką, a ojciec? Sama nie wiedziała. Chłopczyk miał zaledwie miesiąc, gdy zabrali go ze szpitala. Dziewczyna zrzekła się praw rodzicielskich po porodzie. W szpitalu, gdzie się urodził, Marta pracowała jako pielęgniarka. Długo leczyła się i długo czekali na możliwość adopcji. Wreszcie nadeszła upragniona chwila. Adwokat załatwił sprawę perfekcyjnie. Wyprowadzili się z Key West do Rochester, nie wiedząc dokładnie, dlaczego zdecydowali się zaczynać życie od nowa. Kupili dom na raty. Strzygli trawnik. Jedli niedzielne obiady w ogrodzie i urządzali urodziny dla Normana, z całą tą balonową hecą. Rozmawiali z sąsiadami o niczym, uśmiechali się i, co ważne, nikogo nie wpuszczali za próg, wstydząc się zniszczonych mebli, brudnych tapet, wytartych dywanów, starego tostera i ekspresu do kawy, lecz nie chciało się im nic upiększać ani ulepszać. Wstydzili się zatem fikcji, którą stworzyli i która rzucała cień na wspólny los. Kwitnienia ani owocobrania w nim nie było. Ich drzewo ledwo odrosło od ziemi, zaraz gnąc się ku niej i obumierając. Wyjazd Normana do Michigan przyjęli z ulgą, jaką czują zmęczeni starzy ludzie, dla których sprawowanie opieki nad przybranym dzieckiem stało się problemem. Marta wiedziała o tym i rozgrzeszała męża, nie ingerując w spartańskie wychowanie, które dla Nathana było sposobem na to, aby chłopak wyszedł na ludzi, bo co będzie, gdy geny się odezwą i ich zabije? Okradnie?

Nie powiedzieli mu prawdy o jego przeszłości, zostawili ją na później, a lata mijały, aż zapomnieli o niej, umiarkowanie ciesząc się z przyjścia na świat pierwszej wnuczki. Rudowłosą Marion widzieli raz. Bunny wciąż była dla nich obca jak Susan Brown, no i Norman. Zbyt posunęli się w czasie, aby narodziło się w nich pragnienie zobaczenia drugiej dziewczynki. Od dobrych paru lat nie mieli od nich wiadomości. Nie dzwonili do siebie, rzadko też wysyłali kartki na święta.

Hammerowie mieli na starość wiele czasu, aby dokonywać selekcji zdarzeń, w które obfitowało ich małżeństwo. Owszem, mogli sobie wiele zarzucić, ale po co? Żyli w przeświadczeniu, że Bóg im wybaczy, skoro zrobili tyle dla Normana. „Wychowanie dziecka kosztuje masę wyrzeczeń" – powtarzali do znudzenia, woląc nie rozmawiać o nich, aby nie pogrążać się w oskarżeniach, ale co trzeba przyznać, nieco zbliżyli się do siebie, odkąd chłopak wyniósł się z domu.

Nathan wreszcie mógł zmienić pracę. Do tej pory zajmował się handlem używanymi samochodami, to znaczy prowadził rachunkowość. Po nocach śniły mu się liczby, odejmowanie, dodawanie, akumulatory, opony, błotniki, lakiery, ceny i kurz, który wżerał się w ręce. Nie potrafił ich dobrze wyszorować. Widział na skórze brud, choć go nie było. Ale była mu obojętna waląca się rudera, w której mieszkali, co dwa lata odnawiając tylko fasadę.

Po pracy siadał przed telewizorem, czekał na obiad, rozkładał gazety, uważnie przeglądając katalog z bielizną „Victoria Secret". Marta nie mogła się nadziwić, że na stare lata mężowi podobają się półgołe tyłki w koronkach, kiedy powinien szykować się do żałobnego łoża, a nie hulać w wyobraźni. Gdy przebrała się miarka, szydziła z niego:

– Nathanie Hammerze, przewróciło ci się w głowie, myślisz, że jakaś synogarlica poleci za tobą?

Wszystko to było właściwie nieważne. Marta z irytującą uległością nadal prasowała koszule, gotowała, sprzątała, w weekendy pracując na nocnej zmianie w szpitalu, bo z trudem wiązali koniec z końcem, co dało im się we znaki, kiedy Norman dorastał. Jadł za dużo. Za szybko niszczył ubrania. Za szybko rosły mu stopy. Za dużo chciał. Swoimi żądaniami wywoływał wilka z lasu i sprawiał wrażenie, że nie odczepi się od nich. W wieku szesnastu lat sprzeciwił się ojcu otwarcie, gdy doskoczył do niego:

– Jeszcze raz to zrobisz, a ci oddam.

I wyrwał mu z ręki gumową łapkę na muchy, którą powiesił na zewnątrz drzwi do swojej sypialni.

– A to ma tak wisieć, widzisz?

Ręka Nathana Hammera więcej nie dotknęła łapki. Teraz Norman rządził i robił, co chciał. Przede wszystkim wygrał międzyszkolny turniej szachowy, co przyniosło mu dobre stypendium na MIT. Po drugie wracał późno do domu. Po trzecie upijał się, a po czwarte zatrudnił w klubie golfowym, by mieć własne pieniądze.

Nie dzielił się z nimi ani jednym centem. Kiedy pakował swoje rzeczy, wyjeżdżając do Michigan, nie widział ludzi, z którymi walczył na śmierć i życie, ale dwoje pochylonych jak drzewa starców, żegnających go z lekkim sercem.

Chyba ich kochał, a może to, co czuł, nazywał tak, bo z trudem przychodziło mu wyznać przed sobą żal, ból, gniew i wściekłość, prowadzące w kierunku ciemnej nocy. Nie było przed nią ucieczki. Pewnego dnia musiała go dopaść i dokonała tego, zabierając wszystko, chociaż miał niewiele. Nadal pamiętał spotkanie z nimi w restauracji, gdy poznał Sue i chciał się ożenić.

Ojciec był w starym brązowym garniturze, odebranym dopiero co z pralni. Marta w brązowej sukience w łososiowe liście, którą ostatni raz miała na sobie w dniu pogrzebu Spencera Frosta. Właściciela sklepu z antykami przy Oak Street. Na szyi zawiesiła bursztyn oprawiony w srebro. Obydwoje nosili okulary i wyglądali najlepiej, jak mogli. Nathan miał aparat słuchowy, który schował w trakcie kolacji do wewnętrznej kieszeni marynarki. Ale nawet gdy dokończył główne danie, nie założył aparatu.

– Nie nosi, bo swędzą go uszy – skomentowała matka.

– Więc jak rozmawiacie?

– Trącam go albo krzyczę, zresztą całymi dniami śpi, a jak nie śpi, patrzy przez okno, jak stara kwoka.

Norman kiwnął głową i zapytał:

– Co się stało z Samem?

– Poszedł do nieba.

– Nie mów bzdur.

– Jakich bzdur? Powiedzcie lepiej, czy chcecie mieć dzieci?

– O, tak! – Susan momentalnie podchwyciła pytanie Marty.

– Ile?

– Wystarczająco, aby na nie zarobić – odparł Norman.

Matka pochyliła się nad stygnącym stekiem, krojąc wołowinę na zgrabne kwadraty i nabijając każdy na widelec. Wkładała je do szeroko otwartych ust. Odchylała głowę jak pisklę, które czeka na kąsek wygłodniałe i złe. Właśnie miała zapytać jeszcze o coś, kiedy nagle Nathan zaczął nalewać sobie wino. Wydawało się, że próbował patrzyć we wszystkich kierunkach naraz. Marta kopnęła go pod stołem i odsunęła talerz w stronę półmiska ze smażonymi ziemniakami, lśniącymi od tłuszczu; jednocześnie stukała nerwowo lewym kciukiem.

– Przestań mnie dotykać – nie owijając w bawełnę, odezwał się Nathan Hammer.

Potem wypił duszkiem zawartość napełnionego kieliszka. Nie zwracał uwagi na nikogo. Sięgnął do kieszeni spodni, wyjął z niej dwadzieścia dolarów i wsunął je Normanowi do ręki. Nie obchodziło go, co syn sobie o nim pomyśli. Nie obchodziła go także obecność Susan.

– Czy kiedyś było ci lepiej niż teraz? – szepnął Norman do Susan, kładąc pieniądze na białym jak opłatek obrusie.

Szturchnęła go i zaczęli chichotać.

– Nigdy nie było mi bardziej do śmiechu – odpowiedziała i zwróciła się do Marty:

– Przypuszczam, że tęsknisz za Normanem. Ja nie potrafię się obejść bez niego. Chcemy mieć naprawdę dużo dzieci. Zrobimy, co w naszej mocy. Prawda, kochanie?

Zjedli jeszcze lody waniliowe, przybrane wiśniami, polane koniakiem. Nathan palcami wyciągnął orzechy z pucharu i wrzucił je do filiżanki. Poszły od razu na dno, razem z dwiema wiśniami, które zwarzyły niedopitą kawę ze śmietanką. Światło w restauracji było jasne, duże okna przesłaniały muślinowe firanki. Prawie się nie odzywali. Świece topiły się najwolniej, jak tylko można sobie to wyobrazić. Fontanna pośrodku sali wypluwała strugi podświetlonej na tęczowo wody. Kelner dyskretnie przyniósł rachunek. Neony za szybą odbijały się na chodniku tępym blaskiem, który niczego nie wyrażał. W ten sposób spotkanie dobiegło końca.

Marta i Nathan wzięli sprzed restauracji taksówkę i w milczeniu pojechali do domu. Potem przebrali się w identyczne piżamy. Przykryli kołdrami. Nathan odwrócił się do żony plecami. Marta dwoma klaśnięciami zgasiła lampy w sypialni. Zatkała silikonem uszy, ale chrapanie Nathana i tak ją budziło. Leżała wtedy bez ruchu albo wstawała i siadała w salonie, paląc do świtu staroświecką lampę. Pierwszą rzecz, którą wspólnie z mężem kupili w Sears. Chodzili wtedy przytuleni do siebie, trzymali się za ręce w autobusie. Mieli tysiące planów i siłę, jaka przepełnia zakochanych. Wydawało się, że są dla siebie światem. Że nic nie jest w stanie zakłócić ich miłości, że jest ona wieczna jak Bóg.

Nathan długo był dla Marty najprzystojniejszym mężczyzną pod słońcem. Nie było rzeczy, która by się jej w nim nie podobała, z wyjątkiem ubrania. Uwielbiała nawet to mruganie oczami i pstrykanie palcami. A jak się ubierał? Ho, ho, Marta Abrams mogłaby napisać o tym książkę, bo wiele czasu jej zajęło, aby Nathan wyglądał jak człowiek. To prawda, nie miał zmysłu kreacji takiego jak ona, dlatego dała z siebie wszystko, aby zamienił niebieskie koszule na sportowe, brązowe koszulki polo. Ma się rozumieć, że Marta musiała mieć słabość do brązów. Ich odcieni, które cieszyły ją, jak zbliżające się indiańskie lato, po którym nastaje jesień. Czas wyprzedaży i czas polowań na brązowe ubrania dla całej rodziny. Ale najistotniejsze dla Marty nie były już te brązowe ubrania, tylko dodatki. W nich tkwiła tajemnica elegancji. W dodatkach w kolorze łososiowym.

Jeśli Nathan wkładał brązowy garnitur i o ton jaśniejszą koszulę, to musiał mieć do tego łososiową chusteczkę i takie same skarpetki, a Marta łososiowe apaszki. Dopiero wtedy, w pełnej harmonii pokazywali się ludziom. Norman stanowił dla Nathana i Marty atrakcyjny, jak biżuteria z Sears, dodatek. Chłopiec miał kilka brązowych swetrów, kilka par przefarbowanych na czekoladowo starych spodni, aby wyglądały jak nowe, i kilka jaskrawych koszul, bo dziecko musi mieć coś kolorowego na sobie. Tak uważała matka.

Nathan oczywiście zgadzał się z gustem żony. Wierzył bezgranicznie w jej zmysł dobrego smaku. Chyba obydwoje widzieli siebie przez szparki zmrużonych oczu, długo wierząc w harmonię własnego małżeństwa, które sprawiało, że wszystko wokół było dla nich kłamstwem.

Zasypiając, Marta często zastanawiała się nad ich losem, wspominając jak daleką podróż czasy, kiedy Nathan bez powodu przynosił jej ciasteczka Oreo. Zjadali je na nocnym seansie w kinie, a podczas długich chwil intymności, które potem następowały, miewali przeczucie, że ich miłość jest podarunkiem od Boga.

Wydawało się, że życie kołysze nimi w dobrym kierunku, jakby płynęli najbezpieczniejszą łodzią na świecie, piękną jak „Titanic". Drobne nieporozumienia pomijali milczeniem, które nie wiadomo kiedy zamieniło się w obojętność. Nie do pokonania, odkąd zjawił się Norman. Ciemnowłosy, o migdałowych oczach i ze znamieniem na lewym przedramieniu. Nikt nie wiedział, co miało ono oznaczać, oprócz Marty, która była pewna, że w ten sposób są naznaczeni wybrańcy Boga. Tylko tak umiała sobie wytłumaczyć pojawienie się Normana w ich życiu. Był taki bezbronny, gdy zobaczyła go po raz pierwszy. „Moja biedroneczka" – pomyślała o nim czule i jak najszybciej chciała mieć chłopca przy sobie.

Dla Sue i Normana było za wcześnie, by po skończonej kolacji położyć się spać. Po spotkaniu z rodzicami poszli zabawić się do klubu. Sue tańczyła do rana. To wówczas Norman Hammer zauważył, że potrafi być zuchwała i palić papierosy jeden za drugim, a nawet odważyła się wsadzić mu rękę do spodni.

– Przestań, ludzie patrzą!

– A niech sobie patrzą.

– Sue!

– Chodź, zrobimy to teraz.

Nigdy w życiu nie był tak oszołomiony! Poszli do obskurnej toalety na tyłach klubu. Przeżył chwilę wstydu, ale zrobił to, zapominając o nieznośnym zapachu miejsca, w którym się znaleźli. Wnikali w głąb własnych ciał, bez wysiłku zdobywając siebie. Szybko było po wszystkim. Norman miał wrażenie, że zachowywał się idiotycznie, starając się być kimś, kto mało miał wspólnego z nim samym. W jakiś sposób zachowanie Sue zraniło go. Odczuł tę noc jako coś straszliwego. Spotkanie z rodzicami, a potem ta chwila w toalecie, która z romantycznością wcale się nie łączyła. W końcu doszedł do wniosku, że żąda od życia rzeczy niemożliwych, więc postanowił dawać Susan to, czego pragnęła. Prawie za każdym razem, kiedy szedł z nią do łóżka, był przekonany, że musi się godzić na spełnianie jej życzeń. Chyba uważał, że wszyscy ludzie postępują podobnie. Jego doświadczenie z kobietami było przecież nikłe. Na studiach wolał czytać książki i udawać, że ma dziewczyn na pęczki. Bywało, że przechwalał się miłosnymi podbojami, jednak nie miały one związku z jego prawdziwym życiem i raczej nic nie wskazywało na to, że kiedykolwiek przybiorą realny kształt. Koledzy szanowali go za ten dystans, więc nie spoufalał się z nimi, stając się przez to bardziej tajemniczy.

Kiedy wychodzili z toalety, Sue trzymała Normana pod rękę i szła chwiejnym krokiem, głupio się śmiejąc, a on miał uczucie, że pęknie mu głowa. Myślał tylko o tym, żeby zasnąć.

Miesiąc później, w rocznicę śmierci Marylin Monroe, szóstego sierpnia, Norman i Sue wzięli ślub. Nieobecność rodziców pan młody wytłumaczył ich złym stanem zdrowia, zarzekając się, że wyśle im fotografie, czego nie zrobił, a Sue nie nalegała, by nie mieć kontaktu z teściami, którzy byli najdziwniejszymi ludźmi, jakich kiedykolwiek znała. Nie wspomniała o Hammerach swojej matce ani ojcu, aby nie sprawiać przykrości mężowi. Ku swemu zdumieniu stwierdziła, że nie wygląda on na ich dziecko, co przyjęła z zadowoleniem. Sytuacja była jasna. Kontakty ze starymi Hammerami zostały prawie zerwane, mimo że zupełnie się nie znali. W pewnym sensie byli jakoś złączeni, lecz o wiele bardziej obcy dla siebie, niżby się wydawało. Sue wiedziała, że zaniepokojenie Normana, gdy ktoś go pytał o rodziców, miało źródło w różnicy, która ich dzieliła. Spostrzeżeniom szybko nadała charakter absolutnej prawdy, a ponieważ prawda była również powodem jej lęku, rozsądne zaś wyjaśnienie nieprzystawalności męża do jego własnych korzeni nie mieściło się jej w głowie, więc dała sobie spokój. Wszelkie pytania nie przynosiły też odpowiedzi, a skoro tak, to nie mogły się na nic przydać. Kiedyś powiedziała:

– Obawiam się, że musimy obyć się bez wizyt w Rochester.

Zdanie zmieniła tylko raz. Pojechali do teściów z Marion i zaraz wrócili do Grand Hill.

Norman współczuł Marcie i Nathanowi Hammerom, chociaż nie cierpiał się z nimi spotykać. Ich obecność powodowała, że życie paliło go jak ogień. W jednym miał rację: istniały rzeczy gorsze od rodziny, która, jeśli jest równią pochyłą, prowadzi w piekielną otchłań. Na pierwszy rzut oka nie wygląda ona źle i naprawdę sprawia wrażenie, jakby każdy dawał drugiemu oparcie, które znika, kiedy pojawiają się prawdziwe kłopoty, a wraz z nimi rozpacz zamieniająca się w obłęd, skoro nie można na nikogo liczyć. Hammer rozciągnął to stwierdzenie na ludzi, którzy go otaczali, a z którymi niesamowicie rzadko się porozumiewał. W dodatku przez pancerną szybę, jaką niełatwo będzie stłuc, chyba że sam się o to postara, ale on i szyba stanowili całość.

Spotkanie na plaży

Ilekroć Norman zabierał się do szacowania przeszłości, ona okazywała się za ciężka, by ją porzucić, lecz nie wykluczał, że któregoś dnia to nastąpi. Chyba nie wtedy, gdy godzinami przesiadywał nad brzegiem oceanu i patrzył na fale, wsłuchany w krzyki mew krążących nad wyrzuconymi na piasek wodorostami, od których dochodził mdły zapach rozkładających się ryb charakterystyczny dla zatok. Zatoki dawały mu ciepło i chroniły przed wiatrem. Szczególnie lubił jedną w South Amboy. Często odtwarzał chwile spędzone w jej skalistym zaciszu, sinoniebieski cypel, oblewany zachodzącym słońcem. Cóż wówczas mu pozostawało, jak nie tkwienie na plaży prawie do zmierzchu, który był sygnałem, że powinien coś zrobić, zanim przypływ łakomie się rzuci w ramiona zatoki. Zanim powietrze się oziębi, a plażowe pchły zaczną się dobierać do skóry.

Kiedyś przyszło mu do głowy, by rozebrać się i niemal o zmroku zanurzyć w oceanie. Woda była przyjazna, a on płynął przed siebie. Nurkując, nie bał się, że zabraknie mu tchu, gdy będzie próbował dotknąć dna, by wyłowić

kamień. Wierzył, że pewnego dnia wyniesie na brzeg mi-
nerał, dający mu to, czego potrzebował. Może tak właśnie się stało tamtego dnia i wypłynął z białym kamieniem idealnie oszlifowanym przez wodę. Nie wie, czy to
dzięki niemu poznał Louise, w każdym razie zdarzyło się
to tego samego wieczoru.

Idąc w kierunku parkingu, widział krótko ostrzyżo-
ną, siwowłosą kobietę o brzoskwiniowym kolorze skóry,
wołającą pręgowanego boksera. Dotykał wzrokiem jej
oddalonego cienia, który mącił potrzebę kontemplacji
bezludnego pejzażu. Wiatr zdawał się powlekać powietrze mgiełką chłodu. Między krzewami rosnącymi na
wydmach a ścieżką wysypaną korą dostrzegł lisa, który
wychylił się zza kosza na śmieci. Jego żółte oczy, jak
żonkile Wordswortha, oślepiły go złotem.

– Nie bój się – szepnął i poszedł na parking.

Uruchomił auto. Kilkadziesiąt metrów na prawo od
pryszniców i toalet kobieta rzucała psu piłkę do rugby.
Oderwał od nich wzrok, ruszając leniwie z miejsca. Przypomniał sobie Sama, spaniela sąsiadów, z którym bawił
się w dzieciństwie, na tyłach ogrodu, by nikt nie widział,
jak tarzali się po ziemi. Zatopiony w przeszłości i widoku zniżającego się słońca, oblewającego plażę ciepłym
światłem, nie zauważył, że pies pobiegł za piłką toczącą
się wprost pod koła samochodu. Z zamyślenia wyrwał go
skowyt. Przez chwilę nie potrafił uczynić najmniejszego
gestu. Nie pojmował tego, co się stało. Zdał sobie spra-

wę, że powinien wysiąść z auta. Otworzył drzwi i patrząc przed siebie, słyszał słowa:

– Dlaczego mnie nie słuchałeś? Marcel...

Im czulej kobieta mówiła do psa, tym bardziej wydawała się Normanowi przygnębiona wypadkiem. „Niedobrze" – pomyślał. Trwając w zmierzchającej przestrzeni, nawet nie przypuszczał, że odmienia się jego świat, którego fragment właśnie oddawał komuś, próbując w ten sposób przedostać się do jego istnienia. Wokół nich nie było nikogo. Powietrze pachniało oceanem, obserwował kobietę i czekał, co zrobi. W duchu miał nadzieję, że niczego nie będzie od niego chciała, ale nie przywiązywał do tego wagi, niesłyszalnie pstrykając palcami i prowadząc walkę ze sobą, bo w gruncie rzeczy zależało mu na czystym sumieniu i pragnął mieć już całą historię za sobą. Poczuł ulgę, kiedy dotarło do niego pytanie:

– Zawieziesz nas do lecznicy?

Wysiadł z auta. Krzyczące mewy rozproszyły jego uwagę, wznosząc się ponad nimi, przypominały stado rozgniewanych dzieci, które Bóg odwołał z tego świata o wiele wcześniej, niż na to zasługiwały. W pierwszym momencie nie zrozumiał, o co go kobieta pytała, jakby zapadł się w sobie, porażony wydarzeniem. Upłynęło kilka sekund, zanim odpowiedział, że się zgadza. Dotąd nikogo obcego nie wpuścił do środka chevy. Rozejrzał się. Dotykając ręką czoła, jakby chciał zetrzeć natrętne myśli, usiadł na powrót za kierownicą, a kobieta ułożyła boksera na tylnym siedzeniu. Twarz poczerwieniała jej od wysiłku, wzięła głęboki oddech, jakby zaraz miała skoczyć do wody, i trzasnęła drzwiami. Przerażało ją skomlenie psa, gdy objaśniała Hammerowi, dokąd jechać:

– Skręć w prawo, jedź prosto, w stronę mostu. Na trzecich światłach skręć znowu w prawo i potem w lewo do Somerset.

Trzymał się wskazówek. Jechał ostrożnie, nie wiedząc, że kobieta obserwuje wnętrze jego auta.

Kiedy się pochyliła, zauważyła na przednim siedzeniu maszynki do golenia, mydło, parę drobiazgów i książki. Podobała jej się jego flanelowa koszula z podwiniętymi rękawami, spod której widać było biały podkoszulek. Mokre włosy, jakby przed chwilą wyszedł z oceanu, opadały mu na czoło z niewielką blizną. Wyraźnie widziała profil jego twarzy. Wysokie czoło, prosty nos, podbródek i wypukłą dolną wargę. Mężczyzna był starannie ogolony i nienachalny w obcowaniu. Poprosiła, aby podjechał pod samo wejście. Na chwilę wyszła z samochodu i wróciła z wąsatym technikiem o wyglądzie fryzjera. Zabrali psa, a Norman został na zewnątrz prostokątnego budynku, oświetlonego białym światłem.

Zapalił papierosa, przysiadł na krawężniku, kopiąc butem kawałek szkła. Na ulicach paliły się latarnie, w Taco Bell było pusto. Dwóch wyrostków w czapkach z napisem NBA kłóciło się o karty baseballowe, klnąc i wymachując rękami. Jakiś człowiek owinięty w poncho włączył na full przenośne radio i krzyknął:

– Jezus kocha Pabla!

Skórę miał ciemną z jasnymi plamami na rękach i sam do siebie szczerzył zęby. Lewą nogawkę spodni podwinął do pół łydki, wyglądał, jakby było mu wszystko jedno. Przystanął na moment i znów zawołał, tym razem do odbicia w witrynie:

– Jezus kocha Pabla, a ciebie pierdoli!

„Zombi" – pomyślał Norman. Po czym przeniósł wzrok na neonowe litery nad drzwiami, za którymi zniknęła Louise. Trzecia litera świeciła słabiej. Na wprost niego liście palmy szerokimi wachlarzami odbijały się na chodniku, zgnieciona puszka po coli wtopiła się w asfalt. Ucichły głosy rozbuchanych nastolatków. Wszędzie pojawiały się nocne cienie. Tu i tam ich kształtne sylwetki kładły się, na czym popadło, bez trwogi, że za parę godzin przepłoszy je słońce, które jak tygrys skrada się do świata mroku, by upolować cień. Zgiełk przejeżdżających aut nie był już tak natarczywy jak przed dwiema godzinami. Tyle czasu Norman czekał przed lecznicą, gdzie rosło dziewiętnaście drzew i były cztery gazony. Trzy duże i jeden mały pośrodku skalniaka. Kiedy się niepokoił, liczył to, co go otaczało, łącznie z autami parkującymi w zasięgu wzroku, koszami na śmieci i foliowymi torebkami, które wiatr zawiesił na gałęziach. Właśnie się zabierał do okien, gdy zauważył, że kobieta wyszła i kieruje się w jego stronę. Jej odbicie na chodniku falowało pod wpływem kroków. Mimo siwych włosów wyglądała atrakcyjnie. Pomarańczową bluzkę miała rozpiętą do drugiego guzika, a na szyi powiesiła znak Skorpiona. Stanęła przed nim i powiedziała:

– Marcel został na obserwacji. Nie wiem, co go napadło. – I dodała: – Louise.

61

– Norman.

Kobieta zmarszczyła czoło. Wyprostowała się i spoglądała tak, jakby nie dosłyszała jego imienia. Zaskoczył go przejrzyście błękitny kolor jej oczu, z których jedno wydawało się jaśniejsze. Rzęsy miała naprawdę długie. Kiedy zapadło między nimi milczenie, przygryzła górną wargę.

– Norman – powtórzył i usłyszał własny oddech. Zrobiło mu się zimno.

Przez moment dygotali, patrząc na liście, z którymi podmuch robił, co chciał. Słyszeli, jak gałęzie ocierały się o powietrze, mieniąc się w świetle latarni, które nadawało ich fakturze aksamitny połysk. Tak się poznali: kobieta i mężczyzna skazani na los, który nie dał im żadnego wyboru. Postali jeszcze przed lecznicą, a później Norman zawiózł Louise tam, gdzie mieszkała.

Zatrzymał się przed domem o niebieskich okiennicach. Jedno okno było otwarte, a przed drzwiami, na przemyślnie zainstalowanej belce, wisiały dzwonki, których dźwięki układały się w uchu w przyjemną melodię. Dyrygował nimi wiatr, celowo wydłużając niektóre partie, aby przyciągnąć do siebie słuchaczy naprędce zaimprowizowanym nokturnem. Nie mogli go słyszeć, kiedy Louise wysiadała z auta. Z daleka pomachała mu ręką. Patrzył na nią, dopóki nie wyjęła kluczy.

Szła jak marynarz, swingującym krokiem. Pomarańczowa koszula i brązowe spodnie skojarzyły mu się z barwami motylich skrzydeł. *Vanessa cardui* to motyl, którego chyba każdy widział, no może z wyjątkiem Eskimosów.

Nie miała więcej ozdób oprócz pierścionka, znaku zodiaku i zegarka. Beżowy pasek odcinał się od opalonej skóry. Zauważył to w mig. Kiedy odjeżdżał, przez ulicę przeszedł mężczyzna z książkami pod pachą i tenisową rakietą, latarnia dobrze go oświetlała, obejrzał się i skierował w lewo. Przewrócona donica leżała na chodniku. Przystanął i podniósł ją. Norman w lusterku widział jego niezgrabne ruchy.

Jeszcze myślał o kobiecie i o psie, gdy zaczął się zastanawiać, gdzie mógłby się przespać. Ze schowka wyciągnął paczkę winstonów. Włączył radio i odkładając papierosy, zawadził łokciem o klamkę. Papieros spadł na podłogę. Nie sięgnął po niego powtórnie. Jechał w kierunku parkingu za miastem. Miał fioła na punkcie bezpiecznego miejsca do spania. Krążył po placu, zanim znalazł coś dla siebie: drewniany stół i ławkę. Na prawo od nich stały budy przenośnych toalet. Norman zatrzymał się i wyjął z bagażnika bułki. Woził je od dwóch dni, ale nie były suche. Rozkroił i posmarował topionym serem. Nie miał nic do picia.

Noc była jasna i rozległa jak szum oceanu, pochłaniała jego spojrzenie dobitną czernią, poprzetykaną gwiazdami. Zdawało mu się, że wszystko, co go otacza: tiry, latarnie, kierowcy i ich podniesione głosy, zostało stworzone, by mu przeszkadzać. Cała reszta świata, z którą nie chciał mieć nic wspólnego i z którą nigdy by nie usiadł przy wspólnym stole. W innych oczach tamten świat, tak nieprzyjazny Normanowi, mógł wyglądać przyzwoicie i cieszyć się uznaniem, ale nie jego.

„Wszystko jest mi obojętne" – powtarzał sobie, chociaż była to część prawdy.

Pozwolił się tylko opętać jakiejś mrocznej sile, która go zżerała. Czuł zmęczenie i bolały go mięśnie. Rozłożył siedzenia w aucie, nakrył się śpiworem. Prawie do świtu miał w głowie Louise i psa, których widok nie prysnął jak bańka mydlana, kiedy liczył gwiazdy, jakie wyobrażał sobie pod powiekami. Nigdy nie zdobył się na określenie dokładnego położenia swoich gwiazd i nigdy też nie plątał się we własnych liniach papilarnych, ale wierzył, że życie jako takie zostało gdzieś obmyślone, i miewał przeczucia. Raczej nie kierował się nimi, przeciwnie, nawet jeśli wiedział, że leci wprost do płomienia, nie zawracał. Jakby chciał zginąć od dotyku ognia. Wszędzie, gdzie mógł umyślnie umrzeć, czuł się na odpowiednim miejscu. Dlaczego jego pewność nagle osłabła? Powinien uciekać, a nie chciało mu się zrobić kroku, kiedy zasypiał, stając się gipsową figurką w rękach Boga, której byle kto potrafi strącić głowę.

A przecież wykluczanie ludzi ze swojego otoczenia jest zabijaniem tych, co podeszli zbyt blisko. Czy jest to coś naturalnego, jak przemoczone buty albo to, że ścieżka nagle skręca, opadając stromo w dół, i uniemożliwia dojście do celu. Czy sama myśl o tym nie jest zarówno przerażająca, jak i fascynująca, a okoliczności, które jej towarzyszą, czy naprawdę są czymś więcej niż bezwładnym ciągiem zdarzeń, a nie zwykłym przypadkiem?

Hammer tego nie wiedział i nie mógł się nad tym zastanawiać, ponieważ już spał.

Louise Sikorsky

Szyby pokrywało mokre światło, jakby po to, by dać Normanowi odczuć jasność, która zebrała się w powietrzu. Poruszył się, czując na sobie pierwsze godziny dnia, i zaczął szukać wokół siebie nocy, a może ciszy ciągle będącej wyspą, gdzie mógł schronić się w podróży, która prowadziła w absolutną ciemność nikomu nieznaną. Był nią urzeczony, jak drzewami, które trzymały się ziemi i słońca, i bezosobowej przestrzeni, gdzie znajdzie się każdy, kto choć raz zjawił się tutaj, by żyć. Norman musiał to sobie już dawno powiedzieć, żeby pogodzić się z cierpieniem, jakie go wypełniało. Miał nadzieję, że tak będzie tylko do ostatniego dnia jego życia, o czym nie chciał pamiętać, kiedy próbował zasnąć.

Właściwie wcale nie spał, myśląc o psie, o kobiecie, ponieważ pamięć przywoływała moment wypadku. Burzyła wątły spokój i wyciągała na powierzchnię życia uczucia, które zamknął tak, jak zamyka się szufladę – dyskretnie, by nikt nie usłyszał, że cokolwiek w niej ukrył. Biorąc głęboki oddech, otworzył drzwi samochodu.

Owiało go świeże powietrze. Po tirach nie było już śladu na parkingu. Stojąc w słońcu, przeciągnął się. Ranek był ciepły. Przed oczami miał drzewa i stoły, na których mieniła się rosa. Jej krótkotrwałe istnienie przyciągnęło jego uwagę. Zaczął się zastanawiać, co ma do zrobienia w najbliższym czasie. Pewien był jedynie, że chciał pojechać do lecznicy, by dowiedzieć się o zdrowie psa, którego wspomnienie spowodowało, że poczuł ukłucie w sercu.

Spiesząc się do lecznicy, Norman zjadł tylko chipsy i wziął byle jaki prysznic na parkingu. Włożył przyciasny T-shirt, na to czarny sweter z kapturem. Klamrą spiął włosy, nie dając im wyschnąć. Jechał ostrożnie, w obawie że wczorajsza historia może się powtórzyć, lecz mimo że nic go nie poganiało, był na miejscu za wcześnie. Zasnął w aucie, czekając na Louise. Zjawiła się o dziewiątej. Forda zostawiła obok jego chevy. Wyglądała na zmartwioną. Na wpół uśmiechnięta i zgaszona, nie miała ochoty rozmawiać. On też. Żadne słowa nie oddawały jego samopoczucia. Musiał zapanować nad smutkiem. Widok Louise bolał go. Spodziewał się tego. Wysiadł z chevy i nic nie mówiąc, poszedł za nią. Pochylony, skulony w sobie, sprawiał wrażenie, że jest mu zimno. W lecznicy stanął za plecami Louise, która jakby go nie zauważała. Recepcjonistce w przyciemnianych okularach podała swoje nazwisko i imię psa:

– Sikorsky, Marcel.

Bokser czekał w gabinecie obok, w którym Louise spędziła dłuższą chwilę.

W tym czasie Norman prawie zapomniał o obecności ludzi w lecznicy. W poczekalni oprócz niego byli chłopiec z iguaną i matka z dzieckiem, które trzymało na rękach szczeniaka. Odwrócił się do nich plecami, lecz zachował czujność. Kiedy w drzwiach ujrzał Louise z tym samym technikiem, co wczoraj, Hammer wyszedł na zewnątrz. Mało brakowało, a dotknąłby dłonią ogona iguany. Westchnął na myśl o szorstkich łuskach na swojej skórze.

Louise z technikiem ułożyli psa na siedzeniu w samochodzie. Norman Hammer zaproponował, że pojedzie za nią. Pomoże. Zgodziła się i nie pytała o nic. Postąpiła tak, jakby byli obcymi sobie ludźmi albo starymi znajomymi, którzy nie potrzebują słów, by się rozumieć. W tylnym lusterku obserwowała chevroleta, jak duch podążającego za jej autem.

Nie zastanawiała się, dlaczego Norman nie zniknął po wypadku, większość ludzi ulotniłaby się, by nie mieć poczucia winy. Ten mężczyzna był inny. W nocy, męcząc się z powodu bezsenności, myślała więcej o nim niż o Marcelu i doszła do wniosku, że nie wiadomo, które wydarzenia zbliżają ludzi do siebie, a które oddalają. Bolała ją głowa, zasnęła jednak, pozwalając rządzić sobą zmęczeniu, które obezwładniło ją, i nie chciała się przed nim bronić. Teraz, jadąc do domu z Marcelem, dyskretnie obserwowała Normana, właściwie jego samochód, powielający jej ślad na ulicach, na których nie było ruchu. Poranek był senny. Na czerwonych światłach obróciła się i pogłaskała psa.

Bokser urodził się przed czterema laty jako ostatni i najsłabszy w miocie. Czas pokazał, że natura nie myli się, dając szansę każdemu. Louise nie obawiała się wieczorem spacerować z nim po plaży albo gdziekolwiek, wiedząc, że może na niego liczyć. Odkąd zostawiła męża, bokser stał się towarzyszem jej pieszych wędrówek. Mieszkała w domu wynajętym od włoskiej rodziny. Posesja obok należała do syna Bellinich. Renato bywał tam rzadko. Pracę miał taką, że jego rozkład zajęć ledwie mieścił się w dobie. Lubili się z Louise. Zawsze, kiedy Renato wracał do Nowego Jorku, zapraszał ją na drinka i opowiadał historie tanich romansów, które mu się przydarzyły w trakcie służbowych podróży.

Louise Sikorsky, parkując tuż przed wejściem, sama nie wiedziała, dlaczego pomyślała właśnie o Renato. Może odezwały się w niej wspomnienia, a może wilgotny zapach powietrza przywołał tamten dzień, kiedy się poznali. Otworzyła skrytkę i wyciągnęła okulary przeciwsłoneczne. Założyła je. Wyszła w rozświetloną przestrzeń. Norman patrzył na nią. Słońce pokrywało każdy skrawek nieocienionej ulicy. Przystanęła, a potem podeszła do chevy. Zaprosiła Hammera na kawę. Spojrzał na nią z udawaną pewnością siebie, lecz przyjął zaproszenie uskrzydlony propozycją. Zauważyła to, gdy usłyszała skomlenie Marcela. Razem pomogli mu wydostać się na zewnątrz. Obserwowali, jak kuleje i obwąchuje trawę, prężąc się w cieple.

W tym samym czasie Norman zmrużył oczy i pozwolił słońcu przemykać po ciele. Ręce trzymał w kieszeniach spodni, patrzył prosto w górę, a potem ściągnął sweter. Położył go na dachu samochodu. Niebo nad nimi było czyste. W nieskazitelnym błękicie kryła się nadludzka cisza, która otaczała lecące w stronę oceanu ptaki. Subtelny wiatr dotykał twarzy Normana. Czuł jego dotyk. Było mu dobrze, kiedy stał milczący, nieobecny i bez znaczenia. Zatopiony w sobie już nie czekał na nic, wpasowany w nieobecnienie, z którego wyrwała go Louise.

Dźwięk jej głosu poderwał do galopu serce i nagłym przypływem istnienia zniknęło w nim poczucie nieobecności, jakby ktoś w jego głowie odsłonił okna, by za moment mógł usiąść na brzegu sofy i z daleka patrzyć na Louise Sikorsky, kiedy otwierała i zamykała szafki w kuchni. Odkręcała kran, nalewała psu wodę do miski, a światło bezgłośnie zdobiło ściany, kładąc pieczęcie, gdzie popadło, jakby chciało raz i na zawsze oznakować wnętrze, w którym się znalazł. Jeszcze czuł się w nim nieswojo. Jeszcze starał się przybrać odpowiednią do sytuacji pozę, ale w każdej wydawał się sobie nienaturalny. W końcu skapitulował, oderwał się od siebie i zauważył, że Louise nie odnosi się do rzeczy z czułością, raczej przyjmując je takie, jakimi były, i nie pozwalając sobie względem nich na kaprysy i wygórowane wymagania.

To prawda, że czuła niechęć do prowadzenia domu. Nie lubiła gotować ani robić zakupów. Dawno temu postanowiła wieść życie bez komplikacji, ale Norman nie mógł wiedzieć o tym, obserwując, jak otwiera butelkę wina, podnosi ją, pije, a potem wierzchem dłoni ociera usta. Zakręca butelkę i odwraca się, uśmiechając, jakby dobrze wiedziała, że Hammer rozgląda się po salonie, w którym oprócz zakurzonego telewizora, książek i niewielkiej rzeźby nie było wielu przedmiotów ani ozdób. Uwagę Hammera przyciągały tylko trolle. Figurki wyglądały sympatycznie, ba, inteligentnie, a niektóre z nich były w kolorze dywanu. Podobne dywany sprzedawali w Conrans Habitat, gdzie Hammer z Sue czasem robili zakupy przed świętami. Tylko wtedy było ich stać na drogie rzeczy.

Nie można powiedzieć, że Norman czuł się źle w domu Louise, a jednak nuta niepokoju wkradła się do jego umysłu, lecz by nie zastanawiać się nad tym, skupił uwagę na fotografiach wiszących na ścianach i oprawionych w identyczne ramki. Domyślał się, że są na nich rodzice Louise i ona w różnym wieku. Miała dużo uroku. Przede wszystkim jednak wywarły na nim wrażenie jej długie nogi i ręce, no i okazała się miła, ale nie dlatego przystał na propozycję wypicia z nią kawy.

Na stole stały filiżanki i dzbanek od ekspresu. Louise opuściła żaluzje, płosząc gołębie za oknem. Przy okazji sprawdziła w kalendarzu, że poznali się dwudziestego siódmego lipca. Potem usiadła naprzeciwko Normana.

Czuli się skrępowani swoją obecnością. Norman poczęstował ją winstonem i ulżyło mu, gdy nie odmówiła, bo co by zrobili z ciszą, która by zapanowała, gdyby nie palili wspólnie papierosów?

Louise trzymała winstona tak, jakby zaraz miała go upuścić. Gesty miała swobodne. „Żeby nie wiedzieć, jak się zachowywała, i tak musiała być piękna" – pomyślał Norman. Ukradkiem patrzyli na siebie, a firanki ruszały się, jakby wdychały i wydychały powietrze. „Dobry początek" – stwierdził Hammer. Nie był nim zdziwiony, ponieważ od dawna raczej nie dziwił się temu, co się wokół działo, a działo się niewiele. Godziny jakby stanęły w miejscu, nie przynosząc nowych obrazów. Pewnie dlatego zwrócił się do Louise z pytaniem, czy długo mieszka na Cranberry Street, ale zadał je w taki sposób, by nie pomyślała, że jest ciekawy szczegółów jej życiorysu. Po prostu czuł, że powinien pytać, aby nie być tym, który będzie musiał odpowiadać na pytania.

– Trzy lata – odpowiedziała i podniosła łyżeczkę, która spadła na dywan.

W jej wypolerowanym wnętrzu, jak w źrenicy lub stawie, leżało skupione światło. Norman zauważył, że sprawiło mu radość patrzenie na błysk, który wykreślił ze swojego życia.

Przez sekundę poczuł się jak wędrowiec zagubiony w mroku, ale stłumił wzruszenie i oparł dłonie na kolanach. Skrzyżował nogi w kostkach, zapadając się w myślach. Wydawało się, że przebywa gdzieś daleko. Louise patrzyła na jego ściągnięte brwi. Nie wiedziała, że ledwie słyszał szmery klimatyzacji dobiegające go w głębi odosobnienia. Niczemu się nie dziwił, przebywając tam sam, zupełnie sam w miejscu, gdzie było smutno, zimno i ciemno. Żołądek kurczył mu się z niepokoju. Dopiero gdy przypomniał sobie pierwsze linijki dawno nieczytanego wiersza, poczuł ulgę. Oddychał ostrożnie, bo bał

71

się, że uchodzi z niego powietrze, ale pomimo to prędzej niż zwykle otrząsnął się z zamyślenia. Dotarł do niego głos Louise pozbawiony nerwów, niski, trzymany na wodzy przez doświadczonego jeźdźca, któremu ufa się bezgranicznie. Krew w jego żyłach przyspieszyła, dopływając do serca. Norman nie wykluczał możliwości, że serce może zacząć zachowywać się, jakby chciało opuścić klatkę żeber. Starał się skupić na słowach Louise.

– Wcześniej dom wynajmowała kobieta, która zginęła w Andach. Nie znałam jej, ale Renato, sąsiad, mówił, że genialnie grała w brydża i nie przestawała wspinać się po górach. Była himalaistką. Podobno kto raz był na Mount Evereście, nie potrafi już żyć na niższej wysokości. A ty gdzie mieszkasz?

Norman oderwał wzrok od wnętrza łyżeczki. Uśmiech rozjaśnił jego twarz, wypełnił zdziwieniem oczy, zmieniając go znów w człowieka obecnego wśród ludzi, chociaż życie wcale nie stało się lżejsze, odkąd nie troszczył się o ich ani o swoje uczucia.

W przeciwieństwie do Louise Sikorsky, Hammer nie miał swojego celu, którego by się uchwycił, jak powieści. Jego cel ciągle był mglisty. Podporządkowany marzeniom i nieużyteczny.

– Tu, tam, sam nie wiem. Chyba nigdzie nie mieszkam na stałe.

– Praca?

Chrząknął, aby ukryć zmieszanie. Potem wyciągnął z kieszeni nakręcaną żabkę, z którą się nie rozstawał. Położył ją na stole. Zabawka zaczęła skakać, wydając cichy terkot. Nie wiedział, co nim kierowało, że dzielił się fragmentem własnej przeszłości.

– Daj ją Marcelowi.

Louise nie miała pojęcia, co powinna odpowiedzieć, kiedy oglądała prezent dla psa, więc wstała od stołu. Kiedy szła do sypialni, rzucało się w oczy, że była zgrabna, opalona, i nie było w niej śladu zniecierpliwienia ani zarozumiałości. Miała delikatne nadgarstki, długie nogi i uśmiech, który go oczarował. Patrząc na nią, czuł, że jego tętno pulsuje ze zmienną częstotliwością. Słyszał, jak Louise otwiera drzwi na piętrze, by wypuścić z pokoju kota, który zszedł po schodach na wyprostowanych łapach i nastroszony. Zwierzę zbliżało się do Hammera jak myśliwy skoncentrowany na ofierze. Jego źrenice zwężały się, niknąc w zielonych tarczach. Stanął blisko. Obwąchiwał nogawkę spodni Normana, znieruchomiałego, dającego mu poznać swój zapach.

Hammera koiło patrzenie na zwierzęta. Siła promieniująca z ich istnienia. Bał się tylko gadów. Ażeby je oswoić, potrafił spędzać godziny przed terrariami w zoo. Ciała pokryte łuską czasami zamieniały się w pustynne kamienie, które niespodziewanie ożywały. Kto wie, czy i on nie był w szklanej pułapce, powiększającej każdego jak soczewka, ale dla kogo i po co? Lepiej byłoby, gdyby nie wiedział, bo niewiedza pozwalała mu stąpać bezpiecznie w wewnętrznym świecie, nasączając go łagodnym światłem przetrwania.

Norman zdawał sobie z tego sprawę. Wywoływało to w nim strach do momentu, kiedy wreszcie udawało mu się ten strach zracjonalizować. Zepchnąć winę za to, co czuł do gadów, na niesprzyjające, zewnętrzne okoliczności, na które nie miał wpływu. Wiedział, że szczęście jest zmienne. Mniej trwałe od cierpienia, dlatego przyzwyczaił się do koszmarów. Do tego, że jego życie zamieniało się w plamę zdumiewająco rzeczywistą, jakby nie istniał.

Siedział prawie spokojny i patrzył na Louise, może czekał, by przerwała ciszę. Naprawdę wystarczyłaby prosta opowieść, by nastrój między nimi się zmienił.

Dowiedział się od Louise, że kot został znaleziony na wydmach. Nazwała go Przypływ. Normanowi spodobało się to imię, przypominające fale, które obserwował, aby znaleźć ukojenie. Słuchając historii kota, nagle poczuł, że wszystko wokół mu przeszkadza. Chciał wyjść. Louise zauważyła jego niepokój. Zaproponowała lunch. Odmówił, a ona nie była rozczarowana. Zapisała mu na kartce numer swojego telefonu.

– Zadzwoń, może pójdziemy na spacer – powiedziała.

– Na plażę? – wyraził wątpliwość i patrzył, jak Przypływ łapą trącał żabkę. Wreszcie zrzucił ją na podłogę. Obserwował, jak przebiera plastikowymi odnóżami dotąd, aż sprężyna przestała terkotać. Zabawka znieruchomiała. Nic się już nie działo.

Kobieta i mężczyzna patrzyli sobie w oczy. Może przeczuwali, że ten dzień był ledwie zalążkiem czegoś, co następuje, kiedy spotykają się odpowiadający swoim wyobrażeniom ludzie. Jakkolwiek by to nazywać, nie ulegało wątpliwości, że tajemna siła przyciągała ich do siebie.

Norman miał przecież wychodzić, lecz wciąż nie decydował się na ten krok.

Louise podobały się jego ręce, mimo że nie dawały jej żadnego znaku. Oparte na blacie, były przygotowane do dotykania. Chciała uścisnąć mu dłoń, ale schował ją za siebie.

– Może czymś mogę cię poczęstować? – spytała, widząc, że Norman Hammer jednak nie zbiera się do wyjścia.

Kiedy nie usłyszała odpowiedzi, podeszła do lodówki i dodała:

– Marcel, przecież jesteś głodny.

Bokser jadł łapczywie, jakby nie widział jedzenia od tygodni. Norman powinien był się wtedy odezwać. Podtrzymywać rozmowę. Starać się być bardziej miły. Ale bał się nadmiaru słów. Spięte włosy wymknęły mu się spod kontroli. „Musiał być kiedyś przystojny, a teraz jest interesujący" – pomyślała Louise, patrząc na niego.

Był dla niej jak dalekie cicho echo, które wybudziło ją z letargu, ale gdyby zwierzyła się komuś, że zaprosiła na lunch obcego mężczyznę, który prawie zabił Marcela... Cóż ją to jednak mogło obchodzić! Łagodne cienie falowały na ścianie. Wskazówki szły we właściwym tempie, a pojedyncze minuty nie przypominały o upływie czasu. Nie dudniły jej w głowie, płynąc daleko jak latawiec, który złapał dobry wiatr i wzbija się coraz wyżej, utrzymując się w górze i ciesząc tych, którzy zostali na ziemi. Norman przecież zaintrygował ją, miał coś, co mieli mężczyźni, którzy jej się podobali. Wrażliwość i nieśmiałość, a oprócz tego miał w sobie jakąś tajemnicę.

– Wino? Napijesz się ze mną i może zjemy lunch...

Chciała powiedzieć „upijesz się ze mną", ale wiedziała, że nie powinna tego mówić. Dlatego nie czekając na odpowiedź, napełniła dwie szklanki winem, a jej myśli popłynęły w stronę błękitnego latawca.

– Czym się zajmujesz? Mam na myśli życie – zapytał Norman, bojąc się, by nie trafić słowami w próżnię.

– Masz na myśli życie? – powtórzyła jak echo. – Dotykam.

– Dotykasz?

– Fascynują mnie kształt i przestrzeń.

Norman przesunął palcem po krawędzi stołu, jakby sprawdzał, czy może się jej uchwycić.

– Tydzień temu zaczęłam nową rzeźbę.

– Ach, rzeźbisz...

– Nie jesteś stąd, prawda?

Tym pytaniem przyparła go do muru. Wypili wino, potem kawę. Brązowa struga, nieznacznie się pieniąc, wypełniła filiżanki, widać było, że lubił jej zapach. Louise podsunęła mu mleko, kawa pojaśniała. Norman Hammer spojrzał w lustro łyżeczki i jak przedtem, śledził w niej sztuczki życia: odblask, ogień i gorączkę przeplatane rozpaczą.

– Rodzice pochodzą z Rochester – odpowiedział – a właściwie z Florydy. Przeprowadzili się nad Ontario, kiedy się urodziłem. Studiowałem na MIT matematykę, na dobrą sprawę nauki ścisłe nigdy mnie nie interesowały, nawet nie potrafię powiedzieć, ile mam lat. Kiedy byłem mały, hodowałem złote rybki, każda nazywała się

Woopie, ale marzyłem o psie. Ojciec nie chciał się na to zgodzić. Wolał kupować rybki, a ja długo wierzyłem, że któregoś dnia spełnią chociaż jedno moje życzenie, kto wie, może tak się stanie.

– Wierzę w spełniające się życzenia.

– Przepraszam, opowiadam banały.

– Nie, przecież każdy potrafi znaleźć w swoim dzieciństwie jakąś smutną historię.

– Chyba nic mnie nie wyróżniało spośród innych dzieci, może byłem bardziej zamknięty, mniej gadatliwy.

– Nagle Hammer wystraszył się, cichy i niepewny dodał:

– Tak było, nie wyróżniałem się niczym. – Potem wyszedł do łazienki.

Lampy same się zapaliły. Cytrynowe kafelki od dołu do góry, a reszta biała. Tylko ręczniki w kolorze ciemnego błękitu. Na wieszaku wisiały dwa podkoszulki w pasy. Przejrzał się w lustrze. Za plecami miał ścianę, na której powierzchni odcisnął się niespodziewanie dawny Norman Hammer. Strzępki jego zachowań: na przykład jak rozwalił gablotę z motylami nabitymi na szpilki, bo wściekł się na widok owadzich istnień. Ktoś je pozbawił kilku chwil, może istotnych dla kogoś. Przepadły.

Czego nie mógł zrobić z takimi myślami, które w niego wrosły? Pozbyć się ich, ponieważ bez nich byłoby mu gorzej. Wspomnienia jak implant stały się jego częścią, bez której by go nie było z Louise. Do sprawdzenia zostało ostatnie wyjście z zaułka, w jakim się znalazł, czując ciężar siebie i otoczenia. Gdyby udało się go pozbyć... kto wie, czy autostradą do Grand Hill nie jedzie się najszybciej na świecie, nawet wśród korków, między piętnastą a siedemnastą. Zmoczył twarz. Przez firankę przypuszczeń usiłował dojrzeć, co będzie, a prawdziwe było tylko to, co widziały oczy. Ponownie zmoczył twarz zimną wodą i wrócił do salonu.

Znowu patrzył w milczeniu na Louise, choć to kiepski pomysł na poznanie człowieka, ale zmysł wzroku był jego najczulszym organem. Wreszcie zdobył się na odwagę i powiedział, że miło mu się z nią rozmawia, ale nie był pewien, czy to właśnie chciał powiedzieć. Następne sekundy wydały się Hammerowi dłuższe, niż powinny. W myślach cofnął się o krok, a ona nie dlatego znieruchomiała.

Skąd mógł przypuszczać, że jak katedra była gotowa do nabożeństwa, które dałoby jej siłę, mimo że nie wiedziała jeszcze, o czym Norman myślał, kiedy ucichł, więc również milczała. Uważała, by nie poznał, że była jak głodne zwierzę, które, jeśli nakarmi zmysły, porzuca ofiarę, żeby karmić się świeżą zdobyczą. Nie podejrzewała, że Norman, już od momentu wypadku Marcela, pragnął dać jej wszystko, czego chciała. Każdą opowieść, która pozwoliłaby jej iść do przodu. Był przygotowany na to, że będzie się w nim zagłębiać cal po calu. Wreszcie byłby użyteczny i ta świadomość powodowała, że przez chwilę nie czuł niepokoju.

Od lat nie miał przed sobą człowieka, któremu dałby się wchłonąć jak powietrze. To mogło być wyzwolenie. Podjął ryzyko. Ponieważ za długo pomiatał swoim życiem, uznał, że pora odzyskać kompas, by nadać mu kierunek. Louise nie miała o tym pojęcia. Lubiła ryzyko.

Jeśli poczuła ciężar przynęty, nie rezygnowała z emocji. Bezustannie prześladowało ją tykanie zegara, ciągle czekała na osobę swojego formatu, bała się, że marnotrawi czas, nie okazując mu wyrozumiałości. Gdy zapytała Hammera, dlaczego przestał mówić, nie usłyszała odpowiedzi.

Na ich oczach dzień wsączał się do salonu, rozwijając na ścianach ukośne promienie. Najwyraźniejsze na suficie, falowały subtelnie pod wpływem drgań powietrza. Przy drzwiach, w miejscu, gdzie zawsze jest kontakt, świetlista plama zacierała kontury stojącej poniżej lampki ze szklanym abażurem w srebrne pasy. W tym wszystkim Norman sprawiał wrażenie nieobecnego, bawiąc się łyżeczką, która wydawała się wypolerowana przez słońce. Na jej dnie spoczywała kropla. Czarna jak łza afrykańskiego boga. Strącił ją palcem i butem wtarł w dywan, zadowolony, że nie zostanie na nim ślad jego niepewności.

Louise nabijała kawałek goudy na widełki, zachęcając, by coś zjadł. Kiedy nałożyła sobie na talerz sery, włączyła muzykę. Potem nakręciła zegarek, przykładając go do ucha. Tykał, jakby oddychał.

„Tracę grunt pod nogami" – pomyślał, patrząc na nią, chociaż od dawna go nie miał.

Siedział u niej cztery godziny. Czuł się z Louise tak, jakby przechodził na drugą stronę parku, widząc tam ławkę oświetloną słońcem. Chyba ją znalazł, krążąc wokół monumentalnych drzew, dających cień, który jest w końcu własnością i udziałem wszystkich ludzi. Człowiek przez całe życie wspina się w górę do czegoś, jak mu się wydaje, lepszego, ale w ostatecznym rozrachunku ląduje na ziemi, kierowany siłą, którą mało kto rozumie. Cokolwiek od tej pory mogło się stać, Norman wiedział, że oddalił się trochę od siebie, jednak nie aż tak, by nie wrócić do własnego świata. Powinien być też zmęczony, lecz zmęczenie wyparowało w jasną przestrzeń, kiedy myślami krążył wokół Louise, zastanawiając się, czy może zrobić coś dla niej, zanim odejdzie. Nie powiedział o tym głośno.

Wyszedł w porze największego tłoku na drogach. Umówiony z Louise na telefon. Obiecał jej spotkanie. Oddalali się niby rozmagnesowane kawałki metalu, które wcześniej czy później zetkną się ponownie, aby mieć pewność wzajemnego istnienia. Żegnając Normana, Louise stała parę metrów od niego. Byli częścią wspólnej całości. Rozłupaną bryłą, która spadła w piekło wzlotów i upadków za sprawą nieostrożnego artysty, nieumiejętnie obchodzącego się z materiałem, jakim jest ludzki pierwiastek.

– Zadzwonię – rzucił niedbale w abstrakcyjnej rzeczywistości.

Nie usłyszał odpowiedzi. Martwił się o pieniądze na przeżycie kolejnego dnia. Postanowił pojechać do A&P, sprawdzić, czy aby ktoś nie szuka kogoś, kto wszystko potrafi naprawić, z wyjątkiem własnego życia, bez którego on mógłby się obyć. Zacisnął mocno usta. Słońce było malarzem dwóch cieni, a oprócz tego znakiem wodnym w powietrzu.

Kury Watersów

Od tygodnia Hammer pracował u Watersów. Sharon praktycznie nie wstawała z łóżka, więc Frank się troszczył o wszystko, ledwo dając sobie radę. Norman zajmował się kurami i reperowaniem dachu. Dali mu sypialnię na pierwszym piętrze, sami korzystali z parteru, z uwagi na problemy z chodzeniem. Niepokój wrócił do niego. Bał się, że zostanie dotknięty i umrze od bólu i bąbli. Wykonywał swoje prace uczciwie, miał zostać u Watersów przez miesiąc. Niewiele z nimi rozmawiał, a oni widząc, że mogą na nim polegać, nie przeszkadzali mu w odosobnieniu, czasami zachęcając go, żeby posiedział w ogrodzie, ale Norman po robocie na dachu był zbyt zmęczony, dlatego szedł do siebie i od razu zasypiał. Starannie ukrywał fakt, że trzęsą mu się ręce, lecz Frank był na tyle uprzejmy, że nie zauważał, jak rozsypywał cukier. Raz zadzwonił do Louise. Nie zastał jej i nie zostawił wiadomości. Potem nie wracał do niej myślami, zapracowany tak, że wieczorem ledwo patrzył na oczy.

Któregoś dnia wstał wyjątkowo wcześnie i wyszedł przed dom, mówiąc do siebie:

– Nie dotykać mnie, nie dotykać.

Zaraz złapał się na tym i zasłonił usta. Watersowie jeszcze spali. Poszedł do kuchni zrobić sobie śniadanie. Siedział zwyczajnie nad kawą i tostem z truskawkowym dżemem. Był smutny, że jest sam, i nie chciało mu się myśleć. Czekał na Franka, który zwykle spał do siódmej. Starał się nie hałasować. Patrzył na podwórko i widział, jak dwie kury taplają się w miednicy z deszczówką. Zupełnie zapomniał, gdzie się znajduje. Pochłonięty widokiem za oknem, widział, że z południa nadciąga sina chmura, przesłaniając słońce. Kierowała się wprost na farmę, którą pokryła cieniem, tak że trudno było się zorientować, jaka jest pora i co się dzieje. Pierwsze krople uderzyły w szybę. Kury uciekły pod werandę. Zagrzmiało tak głośno, że odgłos burzy na pewno słyszano w całym stanie.

Watersowie byli jak inni ludzie w ich wieku. Z początku źle ich ocenił. Sądził, że będą podobni do Maggie Tores, lecz szybko pojął, że jest w błędzie. Nie mieli żadnych dziwactw, życie nadal cieszyło ich, choć kłopoty przytłaczały. Co środę bezdzietnych staruszków odwiedzała gruba kobieta z opieki społecznej, sprawdzała, jak się miewa Sharon, wypijała herbatę, rzucała okiem na posesję i wychodziła, by wrócić za tydzień. Patrzyli z Normanem na siebie spode łba, ale nie przeszkadzali sobie.

– Nie ma jak życie na emeryturze – powtarzała Watersom na odchodne – pod warunkiem, że się je dobrze przeżyło.

Norman nie wiedział, o co jej chodzi. Drażniła go, ale nie okazywał tego. Od czasu do czasu zamieniał z nią słowo i znikał. Frank dawał mu wtedy znaki, żeby został i napił się herbaty. Nie chciał. Zwykle wspominał, że kury czekają. W robocie był uczciwy. Kiedy brał od nich pieniądze, wiedział przynajmniej za co.

Czas u Watersów płynął w wolnym tempie, bywało, że Norman nie orientował się, jaki jest dzień tygodnia. Potrzebował przestoju, jakby zbierał siły do tego, co miało nastąpić. Nie potrafił sprecyzować, co miał dokładnie na myśli, przeczuwał jedynie, że będzie to coś ważnego, gdy zmieniał dętkę, którą Frank przebił, jadąc rowerem do sklepu po kalifornijskie wino.

Tego samego wieczoru Norman wsiadł do chevy i znowu pojechał zadzwonić do Louise. Słuchawkę telefoniczną owinął papierem toaletowym, żeby nie mieć kontaktu z oddechami. Uważał, że czają się w nich złe moce i mikroby.

– Tu Norman...

– Norman? Jak się czujesz? Myślałam właśnie o tobie.

Skłamała. Wiedział, że skłamała, aby mu sprawić przyjemność. Uśmiechnął się pod nosem i dotknął palcem rysy na szybie w budce telefonicznej, jakby chciał ją wygładzić.

– Jak się miewa Marcel?

– Dobrze. Całkiem dobrze – powtórzyła. – Kiedy cię zobaczę?

– Jestem poza stanem – odpowiedział mimo woli ciszej. – Jeśli masz czas, możemy się spotkać za tydzień.

– Gdzie?

– U ciebie? – Wyprostował się i patrząc w niebo, pomyślał: „Jutro będzie ładna pogoda". Jego uczucia znowu się rozkręcały.

– Oczywiście że tak – zgodziła się.

Chwilę później dał się zaprosić na kolację na Cranberry Street.

Wrócił do Watersów w doskonałym humorze. Zamknął się na dwie godziny w sypialni, a potem zszedł na dół i smażył placki kukurydziane. Sharon z Frankiem spali. „Nie trzeba ich budzić" – pomyślał.

Kiedy gasił przed posesją lampy, słyszał psy szczekające w sąsiedztwie. Pogroził księżycowi palcem, podniósł kolbę kukurydzy z ziemi i rzucił nią, trafiając w ścianę komórki.

– Czasami powinno się zaufać Bogu – powiedział głośno.

I poszedł w kierunku ogrodu, łapiąc oddech jak zmęczone zwierzę. Usiadł pod gruszą, patrzył, jak czarne chmury przesuwały się na niebie. Noc była ciepła, podziwiał ją. To jedna z tych nocy, które pozwalały mu zasnąć bez strachu, że musi się obudzić i zapełniać życie, jak zapełnia się talerz zupą, nie wiedząc, co się wyłowi. Wykombinował, że w ciągu nadchodzących dni powinien być syty i spokojny, no i tak się stało.

Wyjeżdżając od Watersów, podarował im siedem białych kur, potwierdzając, że kiedy wróci, pomaluje okiennice i naprawi wybieg dla ptaków, których hodowla była ich cichą miłością. Sharon nie zdążył dobrze poznać. Będąc jedną nogą na tamtym świecie, nie lubiła, by patrzeć na nią, chociaż dawała się namówić mężowi na leżakowanie w ogrodzie. Rozumiał, że staruszkowie nie potrafili żyć bez siebie.

On dawniej też marzył o trwałym uczuciu. Los zadecydował inaczej.

Zanim wyjechał z Flanders, wpadł na pomysł, by urozmaicić monotonne życie Sharon. Akurat zbliżały się jej siedemdziesiąte drugie urodziny. Nawet Frankowi nie zdradził, jaką przygotował dla niej niespodziankę. Poprosił, by usiadła na werandzie, gdy zegar wybije południe. Za pięć dwunasta wyszedł na zewnątrz i nim zdążyli o coś zapytać, już gdzieś zniknął.

Frank ściskał żonę za rękę, niecierpliwie poprawiając szal, który osuwał się jej z ramion. Przez chwilę mówili szeptem, potem umilkli i rozglądali się za Normanem. Mieli dla niego dużo sympatii. Był pracowity, niekłopotliwy i uprzejmy, nieco dziwny, ale im to nie przeszkadzało. Nagle otworzył się kurnik i wybiegło z niego pięć kur, pomalowanych w różne kolory

– Boże święty, jakie piękne. – Sharon się ożywiła.

Frank klasnął w ręce i krzyknął:

– Hej, Norman, coś ty im zrobił, człowieku. Wyglądają jak anioły.

– Spójrz – zwrócił się do żony, ocierając łzy radości – lepszego prezentu nigdy nie dostałaś.

To nie był koniec widowiska. Norman wszedł na drabinę i stamtąd sypał fosforyzujące konfetti. Kury biegały jak szalone, a jedna, w różowym kolorze, przycupnęła na schodach.

– Księżniczko, wracaj natychmiast – rozkazał jej Norman.

Obróciła łeb i zagdakała. Frank wziął różowopiórą na kolana i popatrzył na nią uważniej. Nie bała się człowieka.

– Masz dobrą rękę, Frank – powiedziała Sharon. – Jesteś wielkim szczęściarzem, bo kochają cię zwierzęta.

Ucieszyło go to stwierdzenie. Ciekawy był, czy ktoś oprócz niego słyszał, co powiedziała.

– Zwołaj resztę kur, może przyjdą.

– Zrób to sama. To twoje święto, kwiatuszku.

– Innym razem.

Stary Frank Waters wyjął z kieszeni pierścionek i włożył go żonie na palec. Norman dyskretnie wycofał się i poszedł nad rzekę.

Kiedy wrócił, w domu panowała cisza. W trawie mieniło się konfetti, jakby ktoś wysypał gwiezdny pył. Po dwóch dniach deszcz zmył z ptaków farbę i rzeczy wróciły na dawne miejsce. Sharon miała najpiękniejsze urodziny w swoim życiu. Dotąd nikt tak jej nie uhonorował.

Kury były wspólnym wariactwem Watersów. Witały ich zgodnym gdakaniem, jakby ktoś nauczył je chóralnego śpiewu. Rzadko już znosiły jajka, ale przecież nie o to chodziło. Ważne, że były. Prawdę mówiąc, właśnie po to, aby gdakać i radować oko upierzeniem, które nikogo poza Frankiem i Sharon nie zachwycało. Norman stanowił wyjątek. Zaakceptował w pełni ich miłość do kur i niczemu się nie dziwił.

Gdyby on został ich właścicielem, byłby z nich równie dumny. „Kury są lepsze od ludzi" – myślał czasem. Zawsze po dziesiątej w nocy dolewał im wodę do poidła i nauczył się odróżniać ich nastroje. Tylko ignorant zdobyłby się na to, aby nimi pogardzać za każdym razem, gdy na nie popatrzy. Przyzwyczaił się do tych ptaków, nieptaków. Chyba kury na całym świecie naprawdę by go polubiły. Podobnie jak Watersów i jego bolał fakt, że ludzie objadali się nimi, traktując je jak bezmyślne kawałki mięsa. W supermarketach chłodnie były zawalone drobiem, Normanowi serce się ściskało na widok obskubanych, zamrożonych na kość kur, które dla niego były czymś innym niż dla reszty ludzi; chociaż podobnie jak oni kury żyły w stadach i były ciekawe wszystkiego, najżywiej reagowały na błyszczące przedmioty. Najpiękniejsze kury miały białe upierzenie. Przypominały obłoki, które spadły na ziemię, a kiedy się pierzyły, zostawiały za sobą piórka śnieżyste jak strzępki bawełny. Wiatr je roznosił, gdzie popadło, szczególnie w ogrodzie, bo tam kury lubiły się przechadzać i wylegiwać w wygrzebanych, ciepłych od słońca dołkach. Watersowie mieli też koguta, raczej dla ozdoby. Carter prowadził jakby osobne życie, ale nie tracił kontroli nad haremem. Kiedy maszerował przed werandą, zadzierał czerwonogrzebieniasty łeb i piał donośnie, widząc Normana albo Franka, który nie był rosłym mężczyzną.

Drobnokościsty, łysiejący na skroniach, miał dużo uroku. Tworzyli z Sharon ładną parę. Ona też nie zaliczała się do wysokich osób. Srebrne włosy ścinała na pazia i owijała głowę batystową chustą. Była spokojniejsza od Franka. Czasem słuchała radia, czasem mąż włączał jej gramofon. Miała kolekcję płyt Deana Martina i Sinatry. Potrafiła słuchać w kółko piosenki o tym, że życie jest piękną rzeczą, której nie należy tracić. Norman, siedząc u siebie w sypialni, mógł ją słyszeć, bo Frank nastawiał głośno muzykę. Nie przeszkadzało mu to, jeśli tylko coś mogło sprawić przyjemność Sharon, nie protestował.

Jednego, czego kobieta nie tolerowała, to dźwięku kościelnego dzwonu.

Pewnego niedzielnego poranka Norman miał ochotę dłużej pospać, ale od piątej rano chodził na okrągło gramofon. Nie mógł się nadziwić, że winylowe krążki zajmują tak ważne miejsce w życiu Watersów. W ciągu dnia włączona na full muzyka rozbrzmiewała po całej posesji, co było sygnałem, że Sharon jest w dobrym humorze. W południe Norman zajrzał do niej. Nie było jej w sypialni. Siedziała na werandzie, przeglądając się w lustrze.

– Zupełnie inaczej wyobrażałam sobie siebie na starość. Zobacz, jakie mam opuchnięte ręce, a ta pomarszczona skóra... Przypominam leniwego żółwia. Gdyby odjąć nos i zastąpić go śliwką, nie byłoby wielkiej różnicy. No, ale może jestem chociaż sympatyczna, nie?

– Kazda rzecz w życiu ma przeznaczenie i sens – Norman spojrzał w jej agrestowe oczy. – Są nie do podrobienia.

– Jesteś miły. Pora, abyś sam się przejrzał, może zobaczysz coś, czego inni mogą ci pozazdrościć.

– Nie wydaje mi się, Sharon, aby tak było.

– Źle siebie oceniasz, młody człowieku – powiedziała cicho, bez żalu, ale cicho.

Wstał i uśmiechnął się. Wziął od niej lusterko, mając nadzieję, że twarz, którą zobaczy, nie będzie należała do niego. Przekrzywił głowę, zakrył oczy palcami i nie odważył się spojrzeć na siebie. Był żywym dowodem na to, że lustra są zbędne. Sharon obserwowała, jak siadał na schodach werandy, opierając się plecami o balustradę. To była dobra chwila, mimo że smutna.

Trwali tak przy sobie przez jakiś czas, dopóki nie przyszedł Frank, przynosząc lemoniadę. Smak i zapach cytryn poprawił wszystkim nastroje.

– I kto by powiedział, że na starość nie ma żadnych przyjemności. Nie jest źle, skoro lemoniada potrafi ucieszyć człowieka. Prawda, kwiatuszku?

Nikt nie odzywał się przez dłuższy moment. Frank nabijał fajkę, Norman siedział z przymkniętymi oczami, a Sharon głaskała kurę, która ją po prostu lubiła.

– Myślę o tobie kurko i najstraszniejsze jest to, że nie umrzesz razem ze mną – szepnęła do ptaka.

Frank spojrzał z wyrzutem na żonę, która czekała, aby coś powiedział, ale on milczał. Westchnął ciężko. Wiedział, że w takim momencie nie wolno mu było się odzywać. Należało przeczekać narzekania.

Kiedy słońce było w rozkwicie, podszedł do niej, stanął naprzeciwko i podparł się pod boki. Patrzył na Sharon.

– Czy mój kwiatuszek ma się już lepiej?

– Jeśli jesteś w pobliżu, Franku Watersie, ma się lepiej.

– Zawsze, wiesz przecież... Zgoń tę kurę na ziemię, abym mógł usiąść przy tobie i poprawić ci pod plecami poduszkę.

Potem rozparł się w wiklinowym krześle i wziął żonę za rękę. Widać było, że Watersowie są szczęśliwi, mimo że zostało im niewiele czasu.

Była to najdłuższa chwila, jaką Norman spędził w towarzystwie Sharon. Naprawdę jej ani Franka nie znał, zastanawiał się jedynie, czy nie są złudzeniem, bo przecież świat był pełen przywidzeń i duchów, wystarczyło się rozejrzeć, aby je zauważyć i niczego sobie nie obiecywać, ponieważ nie jest dobrze, kiedy człowiek da się na coś nabrać i ma ogromną ochotę polecieć za fantomem, a on nagle rozpływa się w powietrzu i tyle go widać.

Kolacja na Cranberry Street

Dawał głowę za to, że Louise była prawdziwa. Bóg zmajstrował ją na swoje podobieństwo, i o to Normanowi chodziło, gdy wybierał się na kolację rozpalony jak gliniany piec. Kolana się pod nim uginały. Na trzęsących nogach wsiadł do samochodu. Nie pojmował, skąd wzięło się w nim uczucie do kobiety. Robił, co w jego mocy, by odeszło, zresztą gdyby rzeczywiście odeszło, mogłaby to być strata, dlatego idąc na spotkanie z Louise, zawiesił na szyi talizman.

Woreczek ukrywał siedem kurzych piór i jedno kogucie. Grudkę ziemi, kłos zboża i skrzydła martwej ćmy. Zebrał wszystko starannie, a o trzeciej w nocy, nad brzegiem jeziora, przy pełni księżyca uaktywnił talizman, plując na cztery strony i paląc garść swoich włosów na miedzianej łyżce. Popiół wtarł w skórę na przedramieniu. Na drugi dzień był gotów stawić czoło przeznaczeniu. Był gotów dać się wymłócić, pożreć jak kolba kukurydzy, zanim zanurzy się bez opamiętania w ciemność, która go ostatecznie dobije i będzie tak, jakby Norman Hammer nie istniał.

Myślał o sobie w ten sposób przed kolacją u Louise, co nie przeszkadzało mu powtarzać: „Niemożliwe, że jadę się z nią zobaczyć. Niemożliwe". Śledził nawet ruchy swoich ust, powtórzone w lustrze. Podobnie starannie obserwował zwierzęta. Nie był zadowolony z własnego ciała i czuł się żałośnie w wilczym tańcu ze sobą. Przyklejony do lustra, przybrał pozę Travolty z *Gorączki sobotniej nocy*. Nie był przystojny jak on, więc po raz drugi zażądałby od Boga lepszego wyglądu, a może nawet i duszy. Nie dałby się nabrać na obietnice, wolałby się nie urodzić, niż płacić za każdy haust powietrza więcej niż za galon benzyny. Nigdy nie wiedział, dokąd mu wypadnie jechać. Nie chciał żalić się na los, na razie miał cel: była nim Louise. Z czystych ubrań wyciągnął jasne spodnie, granatowy podkoszulek. Zapakował plecak, przestając mieć wrażenie, że schodzi w otchłań, bo to otchłań w niego wchodziła. Kiedy zamykał sypialnię, przyszło mu do głowy, że nie wszystko jest jeszcze skończone w jego życiu, chociaż były w nim dziury, ale starał się je załatać.

W drodze do Louise utknął na światłach. Słońce zalewało przednią szybę jaskrawym żarem. Promienie ślizgały się po masce samochodu. Niebo było niebieskie. Bezchmurne, jakby nieużywane. Jasne, że najlepiej wyglądało w obłokach o delikatnych kształtach. Można wtedy z ich zarysu odczytać swoją przyszłość, która przesuwa się nad człowiekiem, chociaż on nie ma o tym pojęcia. Tak naprawdę wystarczy jedno spojrzenie na niebo, aby wydobyć z siebie to, co jest najlepsze w ludzkiej duszy. Tylko komu Hammer miałby o tym powiedzieć, przecież od dawna nie domagał się od nikogo uwagi, absolutnie sam i absolutnie niepotrzebny nikomu.

Kiedy utknął w korku na dobre, jego samochód i wygląd nie wyróżniały go z tłumu, który jest niczym innym jak więzieniem dla ciała i karą dla duszy. Wciąż nie cierpiał tego przedłużającego się zastoju, który zatrzymywał go, kiedy akurat było mu spieszno. A to dzięki niemu zwrócił uwagę na dwie dziewczyny. Dojrzał je po swojej prawej stronie, tuż przed przejściem dla pieszych. Oddzielone od ludzi warstwą nierealnego światła, wydawały się na wpół obecne w rzeczywistości. Nie miały więcej niż siedemnaście lat. Blondynka trzymała ręce na biodrach drugiej dziewczyny i przyciągała ją do siebie, opierając się plecami o witrynę. Tamta, dziecinnie ładna, smagła i rudowłosa, nie mogła zrobić kroku. Pocałowały się, właściwie musnęły ustami, wchłaniając się wzrokiem płynnie i z uczuciem. Kiedy Norman spojrzeniem obejmował ich uda, usłyszał nachalnie poganiający go klakson. Zmieniły się światła. Jeszcze widział dziewczyny w tylnym lusterku. Stawały się powoli kolorowymi, dalekimi punktami, aż zupełnie zbladły. Niewidoczne, gdy ulica wygięła się w łuk, a on zniknął za zakrętem, wpatrzony w szybkościomierz oraz tężejący upał. Zbliżał się do Cranberry Street, z daleka poznał klony, których cienie wyglądały jak plamy atramentu, świeże i wilgotne.

Cieszył się, że wreszcie dojechał na miejsce. Zaparkował tak, że samochód musiał był widoczny z kuchni. Czując łaskotanie w gardle, podszedł pod drzwi i nacisnął dzwonek. Usłyszał kroki. Rozejrzał się dokoła.

Postanowił, że musi mieć Louise dla siebie. Musi stać się jej instrumentem, aby wydobyć z siebie niezafałszowany, czysty dźwięk, który gdzieś tam w nim drzemał i drażnił serce. Potrącał płuca, krążył w żyłach, zastygał na gryfie kręgosłupa, traktując kręgi jak klawisze gotowe za pomocą dotyku przyczynić się do uzyskania nieskazitelnie czystych tonów.

Jakież było jego zdziwienie, kiedy Louise nie pojawiła się w progu. Zamiast niej ujrzał dziewczynę o zębach jak z reklamy *aquafresh triple protection*. Włosy spadały jej na ramiona, wyszczuplając twarz i zamykając ją w prostokątnej ramie. Miała na sobie czarny sweter, czarne, ciężkie buty i spodnie w kolorze indygo. Zauważył, że jest w niej coś dziwnego, i to coś pochodziło od Louise. Zaprosiła go, ale nie zdecydował się wejść, mimo zapewnień, że Louise przyjdzie, tylko nieco się spóźni. Sam nie wiedział, dlaczego nie przyjął zaproszenia, mówiąc, że zadzwoni albo przyjedzie innym razem. Dziewczyna nie protestowała. Dorzuciła jedynie, że ma na imię Ellen. Pamiętał, że zrobił zręczny unik, aby nie uścisnąć jej ręki, nie pokazać, jak jest smutny i wściekły. Patrzył na nią w milczeniu. Nie widział powodu, by siedzieć sam na sam z tak dalece mu obcą kobietą. Tuż za jej plecami warczał Marcel, a przez uchylone drzwi dostrzegł, że Przypływ siedział na schodach, czujny jak dzwonnik z Notre Dame. W końcu pożegnał się, obiecując, że zadzwoni. Odmowa musiała ją zaskoczyć. Minę miała niezbyt wyraźną, ale bez słowa przyjęła jego decyzję i jakby ciągle nieuwolniona od obaw, wolno zamykała drzwi.

Może liczyła na to, że Norman znajdzie powód, aby poczekać na Louise, która, czego nie mógł wiedzieć, była w pracowni przy Fitzroy Street, gdzie czekała na nową partię gliny. Firma przewozowa spóźniała się z dostawą, tak że nie pozostawało jej nic innego, jak poganiać ich telefonami. Hammerowi było obojętne, co dziewczyna sobie o nim pomyśli. Nie zastał Louise, więc co mu zostało? Odwrócić się i pojechać z powrotem na farmę.

Tak zrobił, choć ruszywszy przed siebie, drażnił się z własnym sercem, pytając, czy postąpił właściwie. Bo co, jeśli nie? Znowu czuł się jak wtedy, kiedy opuszczał Grand Hill. Sam dożywotnio i do kwadratu. Nie było wokół nikogo, kto by go wysłuchał, ostrzegał przed niebezpieczeństwem albo dawał rady, gdy jechał do lasu, składał ręce w kułak i wył do księżyca. Był rozżalony, przez moment wrócił myślami do Sue, zastanawiając się, co też za historię wymyśliła po jego wyjeździe. Nie tracił nadziei, że chyba go nie uśmierciła, prosił o to w liście. Ale z kobietami takimi jak ona nigdy nic nie wiadomo.

Gospodynie domowe są gotowe na wszystko, aby tylko wykończyć człowieka. Wyprać go i wyprasować na blachę. O, nie! Nie od razu, lecz latami, krok za krokiem, w rytmie kropel spadających na naczynia piętrzące się w zlewie, aż któregoś dnia człowiek budzi się, widząc, że nie musi nawet sięgnąć ręką, aby papieros sam się zapalił, a kawa przyszła do łóżka. Jest w klatce, gdzie roi się od lepkich dotyków, uśmiechów, troski i uwagi, które jak insekty dobierają się do skóry, dopóki się nie ucieknie, by napełniać się wyłącznie własnym oddechem.

Naturalnie Norman nie był na tyle naiwny, by nie przypuszczać, że Sue mogła powiedzieć Marion i Bunny, że ojciec zostawił je dlatego, że musiał wyjechać w daleką, niebezpieczną podróż do kraju, z którego nie zawsze się wraca. Przekonywała też je, że rozsądniej będzie na tatę nie czekać. Dzieci długo nie rozumiały, dlaczego Norman nie wracał, ale z czasem zadowoliły się najprostszym wyjaśnieniem, powoli uznając jego nieobecność za naturalny stan.

By łatwiej znosiły brak Normana, dwa lata po jego odejściu matka kupiła im mopsy. Dziewczynki troszczyły się o Puka i Pika jak o siebie, niańcząc szczeniaki i karmiąc je łyżeczkami. Sue pozwoliła zabierać je do łóżek i za wszelką cenę starała się wynagrodzić córkom brak Normana. Wreszcie zaczęła się umawiać na randki z facetem z pracy. Mike nie usiłował zastąpić im ojca, ale dziewczynki tak go traktowały. Bunny wprost przepadała za nim. W któryś weekend przeprowadził się z Edison do Grand Hill. Norman najpierw ulotnił się z ich rozmów, następnie z półek zniknęły jego fotografie, a znalezione na strychu zeszyty zapisane od góry do dołu słowami „Norman is normal" Sue triumfalnie spaliła w kominku. Dziewczynki w końcu przestały nazywać go ojcem. Został Hammerem. Ich matka, kiedy musiała, mówiła o nim „ich ojciec", co nikomu nie wydawało się okrutne ani sprzeczne z faktami, aż nadeszły czasy, gdy myśl o Normanie nie była nikomu potrzebna. Dzieci w szkole też nie były wścibskie, nie zadawały pytań w stylu: co stało się z twoim ojcem? Można powiedzieć, że Norman

Hammer wyniósł się z ich życia raz i na zawsze. O złotym napisie na Main Street także nikt w Grand Hill nie pamiętał. Zdanie „Norman is normal" było ważne tylko dla niego. Susan z wściekłości przemalowała łazienkę na czerwony kolor, aby nie mieć przed oczami Hammera. Zapadła w sen niepamięci, nie pojmując, jak mogła wyjść za takiego faceta.

To Mike nauczył ją żyć od nowa i grać w bilard. Razem z nią zbierał nożyki z chirurgicznej stali, kolekcjonował silikonowe zabawki. Czasami wychodzili do hotelu, by zabawić się w Kopciuszka albo w Piotrusia Pana. Susan była przekonana, że warto było stracić wszystko w jednej grze, aby wygrać w następnej. Losy byłego męża obchodziły ją tyle, co zeszłoroczny śnieg. Za Forrestem Gumpem powtarzała: życie to pudełko czekoladek, nigdy nie wiesz, na co natrafisz.

Po zniknięciu Normana Sue zawiadomiła Martę i Nathana, ale Hammerowie powiedzieli, skoro syn napisał, że wróci, to wróci i powinna czekać, więc przeczekała depresję, można powiedzieć, że zatroszczyła się o siebie. Z małżeństwa wyniosła nieufność i nie był jej potrzebny wykrywacz kłamstw, aby stwierdzić, czy człowiek mówi prawdę. Nim poznała Mike'a, zdobyła już porządne doświadczenie, dzięki któremu nie popełniła kolejnego błędu, inwestując w niego uczucia. Z kury domowej przeistoczyła się w kobietę, którą zawsze gdzieś w głębi siebie była. Przestała ukrywać swoją prawdziwą naturę. Wróciła do zawodu, uczyła na wieczorowych kursach chemii i biologii. To jej wystarczało, no i miała dziewczynki.

Może byłaby szczęśliwsza, wiedząc, że Hammer miał przed sobą tylko drogę, którą obejmował długim ciepłym spojrzeniem, jakby była jego kochanką, gotową powitać go z jednakową radością o każdej porze dnia i nocy. Prawdę powiedziawszy, nie miał pretensji do siebie o to, że ją zostawił, a jeśli nawet, to tylko kiedy czuł się gorzej. Wolał jednak to od utopienia się w cukrze gromadzonym latami przez Susan, tak że wystarczyłoby go dla milionów pszczół na całym świecie. Żadna nie umarłaby z głodu.

Owszem, czasem prześladowały go wyrzuty sumienia, że córki wychowywały się bez ojca, no, ale tłumaczył się przed sobą, że nie mógł przecież pozwolić, aby widziały, jak rozsypuje się dzień po dniu. Puchnie, pokrywa się bąblami od ich dotyków. Wolał im oszczędzić przykrego widoku. Wyjechać, zanim stałby się nie do poznania i nie do zniesienia. Miał nadzieję, że Sue nie zamieniła się w natrętną, wielką pszczołę i nie zalała ich życia wątpliwą słodyczą. Nie przecukrzyła go. Po ostatnim telefonie do Grand Hill nie usiłował się z nimi skontaktować ponownie, chociaż nie opuszczało go przekonanie, że któregoś dnia, kto wie, czy nie spotkają się na przykład na jakimś festynie. Usiadłby wtedy przy tym samym stole co one, patrzył, jak jedzą, tańczą z chłopakami. Pewnie Sue by go zauważyła. Podeszła, coś powiedziała, ale nic z tych rzeczy, które by go zdenerwowały. Tego nie mogłaby zrobić. To by nie było możliwe. Nie pozwoliłby również, by zadawała mu pytania. Po prostu patrząc na siebie, pomilczeliby trochę i wszystko skończyłoby się jak w filmach nadawanych w niedzielne przedpołudnia. W głębi serca zdawał sobie sprawę, że to tylko mrzonki wywołane rozczarowaniem, spowodowanym nieobecnością Louise. Nie żywił do losu urazy, choć czuł się wykpiony.

Powrotna droga zeszła mu na mało przyjemnych rozmyślaniach. Chciał oderwać od pamięci wspomnienie o Cranberry Street, ale otoczenie przypominało mu o nim, więc starał się nie rozglądać, by nie czuć się jak piłka tenisowa obijana o ścianę.

Jechał do Flanders i dusił się pod wpływem ślepo mijających minut. Chyba wierzył, że ktoś musi gdzieś tam wiedzieć, co się z nim działo. Niby snuł jakieś nieokreślone plany na przyszłość, ale nie było to nic, na czym zdołałby się oprzeć.

Nic, co by ułożyło jego życie w całość należącą w równym stopniu do dnia i nocy.

Śmierć Sharon i telefon do Louise

Mimo krótkiej nieobecności Watersowie powitali go, jakby był rodziną. Nazajutrz Frank przygotował na lunch jajka sadzone, frytki i placki kukurydziane. Kupił chipsy. Były takie, jak Norman lubił. Z cebulą i chili, ale nie przeceniałby ich smaku. Maczał je w salsie i jadł wolno. Sharon leżała w sypialni. Przez otwarte drzwi słuchała, o czym rozmawiali. Zauważyła, że Norman nieco się zmienił, a on pochwalił kolor jej włosów. Kiedy go nie było, zawołała fryzjera z miasteczka, aby podobać się Panu Bogu. Udał, że nie usłyszał, co powiedziała na temat śmierci, i prędko zdał relacje z tego, co działo się na świecie.

Staruszkowie praktycznie nie ruszali się z domu, zdani na gazety i CNN. W tle ich rozmów śpiewał Sinatra. Poza nowymi włosami Sharon wszystko na farmie było w należytym porządku. Kury miały się wyśmienicie, choć Frank twierdził, że tęskniły za Normanem, bo nie jadły po południu tyle ziarna, co zwykle.

Drób był dla niego odskocznią od problemów. Zawsze miał o czym opowiadać żonie, chowając w zanadrzu historyjki o białopiórych ślicznotkach. Swego czasu wpadł na pomysł, aby je regularnie kąpać, na szczęście grubaska z opieki społecznej wybiła mu to z głowy, oznajmiając, że drób lubi się przeziębiać, a na to nie ma ratunku. Zapalenie płuc gwarantowane. Frank jej uwierzył, tak jak uwierzył Melville'owi w Moby Dicka.

Po lunchu Frank i Sharon zamykali się w sypialni, by rozwiązywać krzyżówki, a Norman zajmował się swoimi pracami. Czasem też sprzątał naczynia ze stołu, wywieszał mokre ścierki na słońce albo kosił trawę. Rzadko odpoczywał. Jednak po powrocie z Cranberry Street trudno było mu zebrać się w sobie i robić cokolwiek. Przesypiał ranki, wstawał w południe. Szedł do kur i gapił się na nie bezmyślnie, w rezultacie malował okiennice przez tydzień, a powinno mu to zająć nie więcej niż dwa dni. Frank udawał, że niczego nie widzi, nawet gdy raz czy dwa nie nakarmił kur i nie dolał wody do poidła. Zwykle Norman nie zapominał o swoich obowiązkach. Wstawał wcześnie, jadł śniadanie i kiedy Watersowie jeszcze spali, on już był na nogach. Jeśli padało, niewiele miał do roboty, tyle co nic, ale w pogodne dni dużo rzeczy należało zrobić na zewnątrz. Frank nie musiał mu mówić, czym ma się zająć. Wciąż było coś do naprawienia. Właściwie jak tylko skończył z dachem i okiennicami, powinien stamtąd odejść. Ruszyć w drogę. Nie potrafił.

Dom Watersów wciągnął go w swoje wnętrze, otulał ścianami, a to odpowiadało Normanowi. Oswajał się z tym, czego nie miał, a co dostawał od losu. Pęcherzyki wspomnień zamiast pęcznieć i pękać, jakoś się nie pojawiały.

Nim zwrócił na to uwagę, zauważył, że jest mniej drażliwy i nie boi się dotyku aż tak, by uciekać, gdzie pieprz rośnie. Przez wiele dni, które minęły od wizyty na Cranberry Street, nie wsiadał do samochodu, choć wysprzątał go, jakby lada moment wyruszał w trasę. Przesiadywał na werandzie, patrzył na czereśnie albo jabłonie, które słońce rozjaśniało i chmury pogrążały w chłodzie. Upływający czas leniwie nim kołysał, z czterech stron otaczał go spokój podporządkowany Watersom. Wśród zastoju, jakiego był świadom, od czasu do czasu wracał myślami do Sue i dziewczynek, ale głównie do Louise Sikorsky. Wreszcie postanowił zadzwonić i spróbować raz jeszcze się z nią umówić. Szykował się do tego od wczesnego popołudnia, nawet powiedział Frankowi, że wychodzi i nie wie, kiedy wróci, więc jeśli coś ma do niego, to niech powie, zanim wyjdzie z domu. Stary pokręcił głową. Już prawie nie odstępował żony. Gruba z opieki społecznej przychodziła do niej codziennie. Frank przygotowywał się na najgorsze, ciągle zwracał się do Sharon z pytaniem, czy czegoś nie potrzebuje.

– Czegóż mogłabym potrzebować oprócz szybkiego końca – mówiła, pokasłując i odsuwając od ust maskę tlenową. Nie lubiła tworzywa, z którego została wykonana. Jej zapach przypominał płyn do sterylizowania instrumentów stomatologicznych.

Norman nie pocieszał Franka Watersa, mimo że widział, jak Sharon gaśnie w oczach. Codzienność oddalała się od niej, uwalniając powoli od pustki, której ciężar mieścimy w sobie. Kobieta nie walczyła z nią. Po co miałby to robić, skoro od boskich wyroków nie ma odwołania, Hammer przekonywał sam siebie i mieszał pszenicę z kukurydzą.

Sypał je kurom dwa razy dziennie do plastikowego karmidła. Zżerały je w tempie odrzutowca, przecinającego białą smugą niebo. „Życie oddziela nas od siebie w podobny sposób" – myślał Norman, jednak Sharon nie była aż taka stara, żeby umierać, ale z powodu choroby, która zrobiła z płuc sito, przygotowała się do ostatniej podróży. Potajemnie zamówiła katalog oferujący trumny i usługi pogrzebowe. Całość miała kosztować około czterech tysięcy. Norman odkrył jej plany. Nie powiedział Frankowi, strasznie ciekawy, jak udało się Sharon ukryć przesyłkę. Widać pragnęła zapewnienia, że umrze, kombinował Norman, i stąd ta potrzeba nowych włosów, odświętnej zmiany, która stała się milczącym sygnałem, że poważnie myśli o śmierci. W czerwonym notesie zapisywała przedmioty, które były w domu. Zaczęła od zastawy. Dalej poszły noże, łyżki, widelce, sukienki, buty, ozdoby choinkowe i cała reszta. Frank pomagał jej, skwapliwie dokonywał spisu inwentarza, w dalszym ciągu jednak nie wiedząc, na co Sharon ta arytmetyka.

– Do głowy by mi nie przyszło, tracić czas na takie zabawy – szeptał jej na ucho, pijąc kawę, przekonany, że zagłębiająca się w misternych spisach żona miała w tym cel, którego mu nie zdradzała. Potulnie poddawał się jej oczekiwaniom.

Kiedy Hammer jechał do budki telefonicznej, by zadzwonić do Louise, niebo było szaroniebieskie i wyglądało, jakby ktoś je upiększył. Nie chciał korzystać z telefonu Watersów, bojąc się, że odkryją jego uczucia. Jechał między milczącymi domami, wzdłuż lasu, pod barokowym sklepieniem, na którym widniały postrzępione chmury. Wystarczyło wyciągnąć rękę, aby złapać te najniżej przesuwające się nad ziemią. Patrzył prosto przed siebie, szukając oparcia w lesie. Drogą przejeżdżał samochód naprawczy z krokodylem namalowanym na masce. Kierował się w przeciwną stronę. Norman dojrzał tylko głowę szofera, naklejki na zderzaku, intensywne kolory obić. Pojechał dalej. Na wystawach sklepowych we Flanders paliły się światła. Zaczął liczyć uliczne lampy po prawej stronie. Przez mgnienie oka ogarnął go spokój, że wreszcie coś znalazł dla siebie i że dobrze przeżywa czas. Dojechawszy pod pizzerię, zatrzymał się, żeby spojrzeć, czy budka telefoniczna jest wolna. Poszedł jeszcze w kierunku kościoła, wieczór pachniał mokrą trawą i sosnami. W pobliżu był park. Ruszył główną aleją, potem skręcił w boczną. Idąc pod murem krzewów, zobaczył w stawie pływające kaczki, które żyły tam podobno od lat. Oparł się o słup oświetleniowy, a ponieważ było w miarę jasno, widział drżące kręgi na zielonkawej wodzie. Wywoływały je podpływające do brzegu ptaki. Wsadził rękę do kieszeni. W środku była zwinięta w rulon kartka z numerem telefonu do Louise Sikorsky.

Dla Normana ta chwila niepewności trwała wiecznie. Przypomniał sobie wiersz o trzech zapałkach i uznał, że jeśli ostatnia, którą trzymał w palcach, nie zgaśnie, zanim policzy wolno do pięciu, zdecyduje się zrobić to, co zamierzał. Odetchnął z ulgą. W garści czuł spocone krążki monet. Wrzucał dwudziestopięciocentówki do otworu i pewniej wybierał cyfry. Linia była zajęta. Jakiś chłopak stanął za jego plecami. Nie chciał, aby słyszał, o czym będzie rozmawiał. Ustąpił. Usiadł na schodach i czekał, aż chłopak przestanie gadać. Nagle przestraszył się. Nie miał już chusteczek, aby owinąć słuchawkę. Musiał pójść do sklepu, chyba że znajdzie coś w samochodzie. Poszedł sprawdzić. Znalazł pod siedzeniem chusteczkę, która ocalała cudem, bo przecież wysprzątał auto parę dni temu. Wrócił do telefonu. Wyczyścił starannie słuchawkę. Owinął ją. Wyglądała, jakby była chora. Tym razem sygnał był wolny, ale nikt nie odbierał. Nawet nie próbował się uspokoić. Położył jedną rękę na szybie i nerwowo stukał palcami. Wybrał jeszcze numer kilkanaście razy, a kiedy nadal nikt nie podnosił, wyszedł z budki i zaklął. Rozejrzał się dookoła. Poczuł lęk. Ziemia obsunęła mu się pod nogami, a świat wydał się wielkim mikrobem. Poszedł na parking i wyjechał na autostradę.

Przez dłuższą chwilę wskazówka szybkościomierza gnała do przodu. Jego zachowanie miało w sobie coś irracjonalnego, jednakże dla Normana wszystko było wyraźne i oczywiste. Był sam. Jechał przed siebie z równą łatwością, z jaką promień światła pokonuje galaktykę. Tej nocy nie planował wrócić do Watersów. Lęk stawał się natrętny. Jechał szybko, żeby uciec od pytań, które tłukły się w skorupie czaszki. Przed każdym zjazdem zastanawiał się, czy nie zjechać, aby znowu zadzwonić. Sprawdzić. Nie wiedział, czego się bał. Przestrzeń zamieniała się w szachownicę, tylko od niego zależało, czy zdecyduje się na następną partię. Krajobraz przed nim był rozległy i tonął w ciemnościach. Kierował się do Atlantic City, rozumiejąc, że droga przyniesie rozwiązanie.

Tamtego dnia wrócił do niego strach. Odrzucał siebie, jakby znał przyszłość na pamięć, a wystarczył przecież byle szczegół, by uczucia się odmieniły. Wystarczyłoby, aby Louise podniosła słuchawkę. Nawet nie włączył się automat, więc nie mógł się nagrać, w ten sposób przypominając jej o swoim istnieniu.

Noc była przyjemna i przyjazna, a jego ogarniało przerażenie, że będzie musiał zapełniać puste miejsce, jeśli się na coś zdecyduje.

Czuł, że nadal nie ma na nic wpływu i to doprowadzało go do furii. Pomyślał, że obawia się samego siebie. Ale tuż przed zjazdem do Atlantic City opanował się. Pojechał dalej, do Cape May, gdzie były najpiękniejsze plaże w New Jersey. Zbyt szybko rozmawiał ze sobą, aby nawet anioł zrozumiał chociaż echo jego słów. Dotąd żaden dzień, żadna noc od czasu ucieczki z Grand Hill nie wydawały się tak pełne napięcia, jak ta, kiedy nie mógł dodzwonić się do Louise. Magnetyczne przyciąganie, które biegło z nieokreślonego kierunku, nie dawało mu wytchnąć, każąc się z nią kontaktować; w końcu grubo po północy Louise odezwała się w słuchawce. Przeprosił, że dzwoni późno, przeprosił, że nie dzwonił wcześniej, i spytał, kiedy się spotkają.

– To ja cię przepraszam... – umilkła na sekundę – naprawdę nie mam ostatnio czasu. Jeśli możesz, przyjedź do mnie jutro przed dziesiątą. Potem będę w pracowni. Wypowiadając to zdanie, już wiedziała, że bardzo chce się spotkać z Normanem. Czekała na jego zgodę, opierając się plecami o ścianę. Czuła jej chłód, gdy odsuwała zasłonę, by spojrzeć na ulicę, którą tyle razy spacerowała z Marcelem, kiedy nie miała siły pojechać na plażę.

– Oczywiście, że przyjadę. Jestem teraz poza stanem, ale to nie problem. – Mięsień na twarzy Normana drgnął, kiedy zapewniał ją o spotkaniu. – Na pewno przyjadę.

– Cieszę się, że cię zobaczę. – Louise sięgnęła po niebieską tabletkę. – Bardzo się cieszę. A co u ciebie?

– Wszystko jak było.

– Czy możesz być około dziewiątej?

– Tak.

– Cudownie – odpowiedziała i popiła tabletkę wodą.

– To do zobaczenia.

– Do zobaczenia.

Przeciągły sygnał zakończył ich rozmowę. Louise ściemniła światło w sypialni i starała się zasnąć. Przykryta letnim prześcieradłem wyglądała jak rzeźba. Materiał udrapował się na niej tak, że widziała swoje długie ręce, nogi, falę żeber i mięśnie ramion. Patrząc na siebie, myślała o Normanie, o swoim ciele, w którym szukała symetrii, proporcji i sprężystości. Wreszcie zasnęła.

Mniej więcej w tym czasie Hammer podjął decyzję, aby zawiadomić Watersa, że wyjeżdża na dłużej. Za trzy godziny był we Flanders i na farmie. Przed posesją i na parterze paliły się światła. Przez odsłonięte w kuchni okno zauważył zgarbioną sylwetkę Franka. Siedział przy stole. Poznawszy po krokach, że Norman nadchodzi, obrócił się.

– Usiądź ze mną – powiedział, wstając.

– Co się stało, Frank?

Starzec zgarnął z blatu okruchy chleba, jakby przygotowywał plac do boju z wyimaginowanym przeciwnikiem, którym było ponad czterdzieści lat spędzonych wspólnie z Sharon. W salonie rozżarzony do czerwoności kominek promieniował ciepłem na całe wnętrze. Może Frank chciał spalić ból rozsadzający mu głowę. Z trudem znosił głuchy łomot pulsujący w skroniach. Patrzył na Normana i ogarnęło go takie przerażenie. Nie potrafił wydusić słowa. Przebierając palcami, powstrzymywał krzyk, by nie zapaść się w większym bólu. Twarz skrył w dłoniach.

– Co się stało?

Frank milczał chwilę. Zbierał myśli. Norman zauważył to i wyciągnąwszy papierosy, usiadł wygodniej. „Co za kretyn ze mnie" – pomyślał sobie. Otwarte drzwi do sypialni Sharon były odpowiedzią. Sięgnął po papierosy, choć nigdy w domu Watersów nie palił. Dym oddzielił mężczyzn, jak zasłona lub szyba. Po zachowaniu Franka widział, że obwinia go o nieobecność, i wiedział, że starzec nie ma racji, bo to, co zrobił, było normalne. Najął się do kur i naprawy dachu, nie do tego, aby być niańką, ale wewnętrzny nakaz kazał mu się czuć winnym. Przez sekundę przesłonił zdrowy rozsądek. Był nieswój, kiedy Waters, patrząc na niego, podsunął mu popielniczkę. Zanim Frank zaczął mówić, z początku wolno, potem pospiesznie, wstał i podszedł do okna. Jego oczy były zaszklone płaczem.

– Poszedłem sprawdzić, czy wszystko jest u niej w porządku, z daleka wyglądała, jakby spała, jednak coś mnie tknęło, bo było inaczej niż zwykle, za cicho, o wiele za cicho, do tej pory zawsze słyszałem jej oddech, wszędzie bym go rozpoznał – mówił, drżąc i kręcąc guzik od koszuli. – Tego nie da się opowiedzieć, przecież to, co się zdarzyło, jest okropne. Nie pożegnaliśmy się, potrzebowałem jednego słowa, żeby pozwolić jej odejść, ale to ona była młodsza i to ja powinienem był umrzeć. Niczego nie wiem o śmierci, kogo mam spytać i komu się poskarżyć, gdybyśmy chociaż mieli dzieci, może byłoby mi łatwiej pogodzić się, że Sharon nie żyje. Wiesz, miała piękne, kocie oczy, a gdy umarła, to jakby ich nie było na swoim miejscu.

– Bo patrzyły już z wysoka, Frank.

– Próbowałem rozprostować jej palce, jakoś ją ogrzać, dać z siebie jeszcze jedną iskrę, która by ją rozpromieniła, lecz nie zatrzymałem mojej żony, nie wiedziałem przecież, że nie żyje. Jakież to wszystko jest męczące i bolesne. – Westchnął i zbladł, trzymając rękę na piersi. – Dlaczego wcześniej nie wróciłem od kur, może by żyła, albo gdybyś ty był tutaj...

– Daj spokój – Norman przerwał mu, a nie powinien.

– Czy to możliwe? – Frank mówił z trudem, bo przeszkadzały mu łzy. – Jeśli nie można odwrócić tego, co się stało, to zrobię wszystko, co będę mógł, aby ją pamiętać. Boże drogi, pomóż mi. Jak to tak? Dlaczego? Nie chciało mu się wierzyć, że mogło być prawdą to, co opowiedział. Uparty żal był w nim nieznośnie obecny, jakby spotkała go wielka krzywda, z którą będzie musiał się pogodzić. A jeszcze straszniejsza wydała się myśl, że farma, do tej pory pełna ich wspólnego życia, mogłaby przestać istnieć. Umilkł, a minuty mijały, przejmując lękiem także i Normana, który pocieszał się, że to nie przydarzyło się jemu. Gdy widział, jak Frank cierpiał, nie przeszkadzał mu w tym. No bo jak miał zatrzymać łzy człowieka, który stracił to, co było mu najbardziej drogie? Kobietę, którą dostał od Boga.

Norman podniósł się z krzesła, podszedł do drzwi i ze strachem spoglądając na Watersa, spokojnie zrobił w tył zwrot, by skierować się na piętro. Tylko ściany widziały, że się obejrzał.

– Mówiłeś coś do mnie, Frank?

Uciekać. To była pierwsza myśl, jaka zakołatała w głowie Normana. Uciekać od nieszczęścia. I chociaż zdawał sobie sprawę, że postępując w ten sposób, okaże się w oczach Franka bezdusznym sukinsynem, nie zawrócił. Musiał tak zrobić, aby nie dać się pojmać uczuciom, których nie potrzebował. Być może świadomość, że wkrótce zobaczy się z Louise, stępiła jego zmysł odczuwania i dlatego postanowił opuścić Flanders jak najspieszniej. Wszedł do zaciemnionego pomieszczenia, pachnącego świeżym powietrzem, potem otworzył łazienkę. Chciał wziąć kąpiel.

Rozpryskujący się strumień wody zmył z niego zmęczenie. Krople padające ukośnie na twarz mieszały się ze łzami. Piana pokryła go warstwą mydła i szamponu. Tak się zamyślił, że nie zauważył upływającego czasu. Gdy pakował rzeczy i zwijał mokre ręczniki, wpadła mu w ręce kartka z numerem telefonu do Louise. Wreszcie zamknął za sobą drzwi od sypialni i dbając o zachowanie ciszy, a nie konwenansów, zszedł na dół.

Franka nie było w kuchni. Zajrzał do salonu. Żaluzje były spuszczone, a mężczyzna spał na sofie. Bawełnianą koszulę miał rozpiętą, włosy w nieładzie, na wprost niego w kominku jaśniały płomienie, jakby ich ciepło zdołało ukoić na moment stratę, mimo to wnętrze wyrażało żałobę. Szczególnie zaskoczyły Normana fotografie. Biało-czarne strzępki przeszłości rozsypane na dywanie. Kolejno spoglądały na niego oczy Sharon i Franka sprzed ponad trzydziestu lat. Frank, udając, że śpi, widział spod przymkniętych powiek, jak Norman chował jedno zdjęcie do kieszeni. Nie zatrzymywał go. Poczuł się jak zbity pies, ale wiedział, że ze stratą będzie musiał poradzić sobie sam. To był wyłącznie jego problem, a Norman w duchu rozgrzeszał się, nie tracąc pewności, że ktoś Frankowi Watersowi pomoże, i dlatego wycofał się do drugiego pokoju.

Pod serwetką na okrągłym stoliku znalazł numer telefonu do Grace Fletcher z opieki społecznej. Po raz pierwszy pomyślał o tej kobiecie, używając jej imienia, i po raz pierwszy skorzystał z telefonu na farmie, wcześniej nie decydował się na to, aby mieć pretekst do przejażdżki. Fletcher nie podnosiła słuchawki, na szczęście włączyła się taśma. Zostawił wiadomość, że Sharon umarła, a on musi wyjechać. Poprosił, aby przyszła do Franka tak szybko, jak będzie to możliwe. Kiedy skończył się nagrywać, kamień spadł mu z serca. Potem znów zajrzał do salonu.

Frank nadal spał. Słyszał jego chrapliwy oddech, który wypełniał ciszę, gdy wychodził. Poszedł do kurnika. Napełnił pojemnik wodą, przemieszał ziarno i wsypał je do karmidła. Wiedział, że robi to po raz ostatni. Nie oglądając się za siebie, wsiadł do samochodu, świadomy, że nic więcej nie może zrobić, bo im bardziej by się starał, tym gorzej by się czuł. Nie umiał znaleźć się w sytuacji, która nie odpowiadała mu w żadnym calu, ponieważ musiał być wolny, nieskrępowany więzami, chyba że sam zechce je sobie kiedyś nałożyć. Tak więc on, Norman Hammer, mając przed sobą ledwo zaczęty dzień, oparł policzek o rękę ubrudzoną farbą i bez sentymentów pogrążył się w pokonywaniu drogi, byle zdążyć na czas do Louise. Sprawdził jeszcze, czy talizman jest na swoim miejscu. Kiedy go wyczuł w kieszeni, odetchnął z ulgą. Gdyby był wierzący, zmówiłby wtedy modlitwę za duszę Sharon, a tak pomyślał o niej serdecznie i przestał obciążać pamięć tym, co się wydarzyło we Flanders.

Kula

Ponieważ dotarł na miejsce późno, tylko trochę się zdziwił, że nie zastał nikogo w domu na Cranberry Street. Odkleił przyczepioną do drzwi kartkę i pojechał pod wskazany adres. W samochodzie nie działała klimatyzacja, Norman był spocony jak pies, mimo że chłodził się, otwierając okna, jedno z przodu, a drugie z tyłu. Czuł się też zmęczony wydarzeniami u Watersów, ba, chyba nawet przybity, chociaż starał się oszukiwać samego siebie i myśleć, że Sharon i Frank byli dla niego obcymi ludźmi. Oszustwo przynosiło ulgę, ale nie na długo. Przygnębienie wracało jak bumerang, więc musiał przyznać, że staruszkowie nie byli mu obojętni.

Padając ze zmęczenia, odszukał budynek na Fitzroy Street 27. Zadecydował, że najpierw obejdzie to więzienie. Zadecydował słusznie. Louise była niewolnikiem pracy. Prędzej dałaby się za nią pokroić, niż ją przerwać. Szedł wzdłuż ogrodzenia zarośniętego krzewami, przez które dostrzegł Ellen. Wyszła mu naprzeciw. Kiedy się do niego zbliżała, zauważyła, że schował za siebie ręce.

Udawał, że czegoś szuka w kieszeniach, odsunął się i natrafił na spory kamień. Potknął się o niego.

– Gdzie Louise? Mam nadzieję, że nie przyjechałem za późno.

– Nie, ale prosiła, abyś poczekał. Za chwilę powinna być wolna.

Nigdy nie krył tak rozdrażnienia. Jednak poruszył się nerwowo. Na dodatek słońce białym żarem zalewało mu oczy. Z ulicy nie dobiegał żaden hałas, ale ten blask w połączeniu z ciszą nie wróżył nic dobrego, a już z pewnością nie mógł być wzięty za przejaw wyzwolenia od tego, co dręczyło Hammera od lat. Nieprzystawalność do sekund, minut i godzin, do pełnego koła czasu, jaki przynosił los. Promienie jak plaga szarańczy dostawały się wszędzie, spijały najmniejsze plamki cienia, jeśli były w stanie ich dosięgnąć. Pożerały chłód i wilgoć. Pot zastygał na skórze jak wosk, powietrze z trudem wypełniało płuca, temperatura wynosiła dziewięćdziesiąt stopni Fahrenheita. Śnieżnobiały podkoszulek Normana i sprane do białości dockersy odbijały światło.

Usiedli z Ellen pod drzewem. Nie wątpił, że wbrew wcześniejszym niepowodzeniom uda mu się zobaczyć z Louise. Czekanie nie mogło trwać wiecznie. Tak mu zależało, że gotów był prosić Boga, aby nic nie stanęło mu na drodze, mimo że odkąd zjawił się na Fitzroy Street, czuł niepokój, który jak ćma tłukł się w jego głowie, usiłując wydostać się do światła. Znów się bał i dużo wysiłku kosztowało go, aby ukryć lęk przed samym sobą. Patrzył na czarne punkciki migające przed oczami. Znikały i pojawiały się, pulsując regularnym rytmem, jakby ktoś chciał mu coś powiedzieć za pomocą alfabetu Morse'a.

Norman trzymał rękę na plecaku, w którym schował plik gazet. Wyciągnął je teraz i przystąpił do lepienia kuli. Nie zważał na obecność drugiej osoby. Poprosił Ellen jedynie o wodę.

Najpierw zmoczył papier, by dał się uformować, potem zmiął jedną stronę i dolepiał do niej strzępki z drugiej, starannie naklejał poszczególne płatki na siebie. Ellen z początku myślała, że jest świadkiem przedstawienia i nie próbowała dołączyć się do zabawy. Obserwowała uważnie jego poczynania. Zaczął od kulki, która w miarę upływu minut powiększała objętość. Ciekawa była, do czego będzie mu potrzebna, musiał mieć w tym jakiś cel, kalkulowała, nie spuszczając wzroku z jego długich, ubrudzonych drukarską farbą palców, w które brał pasek papieru i ślinił go na całej długości, następnie szukał na powierzchni kuli miejsca, gdzie będzie pasował. Zachowywał się jak owad, który buduje kokon, aby się przeobrazić. Tylko w co? Ellen nie wiedziała.

Podobnie jak tego, że pamięć Normana powróciła do ich ostatniego spotkania. Iluż ludzi jest zapraszanych na kolację, z której nic nie wychodzi. Prawdę mówiąc, chyba na drugi dzień przestał przywiązywać do niej wagę. Zrozumiał mniej więcej, że życie toczy się własnym torem i pewnie, według opinii Boga, jest w porządku, w zupełnym porządku, którego nie pojmował w pełni. Zresztą, czy mało miał do przemyślenia, aby obarczać się kolejnym, nierozwiązywalnym wspomnieniem? Gdyby zastanowił się nad tym, to byłby z tego pożytek. Ale do czego by on mu się nadał?

Norman obiecał sobie, że nie będzie uganiał się za Louise. Plan wyszedł w połowie. Z upływem tygodni jej obecność okazała się soczystym wydarzeniem, z którego postanowił wycisnąć soki, aby się w nich utopić. Przyznawał się przed lustrem do faktu, że Louise oszołomiła go pojawieniem się na jego drodze. Trzeba było pewnego wysiłku, by zrozumiał, że sam był dla siebie jedynym oszołomieniem, lecz nadal ciągnęło go do tej kobiety nazbyt rzeczywistej, aby dać sobie z nią spokój. Poczucie przeznaczenia, przekonanie, że ma rację, trzymały go w napięciu i pozwalały zbliżać się do niej krok po kroku, naturalnie, że nie zamierzał pozbawiać się tego uczucia, które przyniosło mu wątpliwą pociechę. Jasne, że nie natychmiast, ale za chwilę. A ile trwała chwila dla Normana? Któż to wiedział.

Tymczasem Louise, aby zaostrzyć dłuto, musiała skorzystać z pracowni Grega Hackneya, który miał do tego odpowiednią maszynę. To stamtąd przez szybę zobaczyła Normana. Jeszcze nie zgodziła się na jego obecność w swoim życiu, no może na samym początku, tak jej się wydawało. W przebłyskach zmęczenia przeczuwała, że Norman mógłby na coś się przydać. Być dla niej ważny.

Wpatrywała się w dwie odcinające się od światła sylwetki i nie było w tym patrzeniu niczego oprócz faktu, że Norman i Ellen stanowili zgrabną bryłę, która wkomponowała się w platan. Zaczęła ich szkicować. Smakowała płynące z obserwacji korzyści, jakby wspinała się na potężne wysokości, skąd patrzyła w dół, aby zobaczyć świat we właściwych proporcjach. Nigdzie nie czuła się tak dobrze, jak tam, gdzie nie szuka się towarzystwa, tylko siebie. Była wówczas w zgodzie ze sobą.

Po kwadransie postanowiła wrócić do rzeźbienia, do swojej pracowni, sąsiadującej z Hackneyem, z którym dzieliła ogród i szlifierkę. Schowała kartkę, odwróciła się i podeszła do krzesła, gdzie położyła napoczęte marlboro. Miętowy dym zasłonił ją. Sprawdziła dłuto. Było ostre jak diabli. Szumiało jej w głowie. Od rana zaprawiała się winem schłodzonym lodem. Twarz miała skupioną i brudną od pyłu. We włosach opiłki drewna, które jak płatki śniegu osiadały, na czym popadło. Wychodząc z pracowni, nie widziała, że Norman skończył kulę w momencie, kiedy osiągnęła wielkość pięści.

„Czasami taka kula może nadać sens całemu życiu" – powiedział Hammer do siebie i trudno było stwierdzić, czy naprawdę coś powiedział, choć Ellen wsłuchiwała się w jego głos. Nagle dotarło do niego, że uchylił przed kimś drzwi prowadzące do jego świata. Zakaszlał, jakby był przeziębiony. Ellen wstała, rzucając od niechcenia, że idzie do pracowni. Skinął jej głową bez przekonania.

Upał był coraz większy. Zaledwie parę odgłosów przejeżdżających aut doszło go z ulicy, kiedy patrzył, jak się
oddalała. Spojrzał w niebo. Wyglądało, jakby ktoś je
wyprasował. Uświadomił sobie, że tylko za niebieską
zasłoną musi być chłodno. Czuł, że pali się od wewnątrz, a jego serce jest pogorzeliskiem i nie zdoła go
uratować. Nie wiedział, ile razy naszła go podobna
myśl, może ani razu, i to przemówiło mu do wyobraźni.
Rozważywszy rzecz dokładnie, pozwolił sobie sądzić, że
każdemu jest dana szansa ocalenia, mimo że wszystko
go obezwładniało. W rezultacie niemiłe było to, że sam
jak palec siedział pod platanem, skazany na udar, i musiał się przyznać przed sobą, że zaczął myśleć najpierw
o Sue, później o dzieciach. Jego sytuacja była nie do
pozazdroszczenia. Rzucił na szalę przypadku nie tylko
swój los, a Bóg chyba nie okazał się łaskawy. Wyjeżdżając z Flanders, napisał na chodniku: „Norman is
normal". Gdzież by sobie darował, zawsze przecież zo-
stawiał znak. Można doprawdy w to wierzyć albo i nie,
ale tak właśnie było. Co więcej, Norman wierzył, że jest
w tym sens, pozwalający mu utrzymywać w zgodzie rze-
czywistość i siebie. Wziął do ręki pożółkły od słońca liść
i rozkruszył go. Na niebo nie napływały chmury, które
pozwoliłyby oddychać ludziom i roślinom, mimo to cieszył go żar wypłaszający ludzi z ulic. Woleli siedzieć
w klimatyzowanych pomieszczeniach, niż topić się od
gorąca.
Norman oparł się wygodniej o pień i zamierzał zapalić
papierosa, ale zdmuchnął zapałkę, wyrzekając się małej

i wątpliwej w tej temperaturze przyjemności, która czasami jest potrzebna człowiekowi, jak tlen. Krótko mówiąc, powinien dawno wynieść się stąd, ale nie pojmował, dlaczego wciąż siedzi pod platanem, bo przestał już spodziewać się czegokolwiek po Louise. Słyszał swój oddech i pulsowanie w tętnicach. Jego chęć na jakikolwiek ruch została stłumiona przez upalną pogodę, a kiedyś tylko ruch trzymał go przy życiu, dostarczał ukojenia, którego potrzebował, by do reszty nie zwariować. Zapewne dlatego doszedł do wniosku, że powinien dać sobie ostatnią szansę, czyli pójść do pracowni, a nie skazywać się na siedzenie w upale bez gwarancji na realizację swoich planów. Nareszcie zdecydował się na rozsądne rozwiązanie. Wstał z ziemi, twarz miał bez wyrazu, jakby o wszystkim zapomniał. Zrobił krok w kierunku budynku i zatrzymał się. Stracił odwagę. Był to stan, który znał z przeszłości. Wreszcie przemógł się i dotarł do drzwi. Były uchylone. W środku nie zastał nikogo. Nagie pnie drzew straszyły białością. W pomieszczeniu panował chłód jak w prosektorium.

– Halo, jest tu ktoś?

Stracił pewność, że na Ziemi jest jeszcze ktoś oprócz niego.

– Louise?

Zawołał bez przekonania i patrzył przed siebie w taki sposób, że mógłby wcale nie patrzeć. Obszedł salę dookoła, dość ostrożny i zbyt zmęczony, żeby sprawdzić dwa razy. Zajrzał do łazienki. Powitała go pustka białych ścian i ubrudzona gliną posadzka ze śladami butów.

119

Umył ręce. Z kranu płynęła zimna woda, zdawało się, że cisza powiększała się tak znacznie, że usłyszał własne tętno, nie mogąc z nim dojść do ładu. Pod umywalką znalazł papierowe ręczniki. Wytarł ręce w zielony papier i nie pokwapił się, aby poszukać kubła na śmieci. Wszędzie było brudno. Obrzydliwie brudno. Uważał, by niczego nie dotknąć. Nagle przypomniał sobie o psie, gdy przestraszył go męski głos, należący do faceta przyciężkiego jak rottweiler, którego trzymał przy nodze.

– Co tutaj robisz? – zapytał tak, jakby chciał go zaatakować.

– Szukam Louise Sikorsky.

– To pracownia Grega Hackneya.

– To niemożliwe – zaprzeczył Norman.

Wydawało mu się, że śni, lecz kiedy mężczyzna poluzował linkę i pies wyszczerzył kły, zrozumiał, że to nie żart. Skierował się do wyjścia.

– Sprawdź obok, tam też jest pracownia rzeźbiarska. Pracuję tu od wczoraj, nie wiem wszystkiego – rzucił jeszcze mężczyzna niezbyt uprzejmie.

Hammer machnął ręką i wyszedł.

Chevrolet stał przy zepsutym parkometrze. Słońce prażyło niemiłosiernie, podkoszulek miał mokry od potu, twarz zaczerwienioną. Nad sobą tablicę z napisem „Fitzroy Street". Wsadził rękę do plecaka. Papierowa kula, sucha jak pieprz, leżała na swoim miejscu. Otworzył bagażnik i wrzucił na książki niewykorzystane skrawki gazet. Wciąż nie potrafił uwierzyć w to, co się zdarzyło. Kręciło mu się w głowie. Wsiadł do samochodu. Uliczne światła migały jak chmary zielono-czerwonych motyli. Jadąc na Cranberry Street, prowadził, można powiedzieć, wolno. Nie chciał myśleć o niczym, ponieważ to, o czym myślał wcześniej, okazało się nieprawdą. Miał dosyć siedzenia pod drzewem, czekania i ociekania potem. Stracił chęć na chodzenie wokół budynku. To musiała być kolejna sztuczka losu. Kilkakrotnie zatrąbił na wyimaginowane auta, aby się wybudzić z odrętwienia. Droga ciągnęła się jak guma do żucia. Nic nie wracało na miejsce z wyjątkiem Louise w dniu, kiedy potrącił Marcela. Była przystojna w pomarańczowej bluzce, rozpiętej do drugiego guzika. Na szyi powiesiła znak zodiaku, miała movado i pierścionek na palcu. „Boże, chyba rzeczywiście zwariowałem" – wyszeptał, być może po raz pierwszy pomyślał wtedy o sobie poważnie i w ten sposób. Nad miastem nadal świeciło ostre słońce, a Norman pragnął odrobiny chłodu i jasności w głowie. Szumu fal, ciężkiego podmuchu, który by go poniósł daleko od lądu. Wiatru i ani centymetra ograniczonej przestrzeni. Pragnął też nie zamykać oczu, aby nie patrzeć przez zasłonę powiek na świat. Powiedział jeszcze parę słów do siebie i dojechał do celu, aby sprawdzić, czy nie oszalał.

Wiele razy naciskał dzwonek, ale po drugiej stronie było cicho i pusto. Obszedł dom wzdłuż i wszerz, a kiedy nikogo nie spotkał, wrócił do auta.

– Nie dotykać, nie dotykać mnie – powtarzał w ciszy.

To zdanie już dawno skazało go na samotność. Jedyną twarzą, jaką pamiętał, była twarz Louise Sikorsky. Tylko Bóg mógł wskazać, gdzie jest teraz. W każdym razie Norman nie czuł, że zdoła cokolwiek mądrego wymyślić, a że był sam, wniosek nasuwał się oczywisty. Musiał zawrócić, ale najpierw znalazł kartkę z zapisanym adresem na Fitzroy Street. Strażnik chyba się nie mylił, może rzeczywiście z powodu upału to jemu coś się pomieszało.

– Jestem kompletnym durniem – powiedział do siebie.
– Zamiast sprawdzić budynki, wybrałem się na Cranberry Street, no i po co?

Zaparkował w starym miejscu. Ellen wyszła na zewnątrz, gdy zauważyła go przez uchylone żaluzje. Popatrzył na nią obojętnie i obco swoimi brązowymi oczami, a ona zwróciła się do niego tonem, który zdradzał irytację:
– Gdzie byłeś? Willie mówił, że rozmawiał z tobą, a zaraz potem odjechałeś.

Jak przez mgłę dotarły do niego własne słowa:
– Pomyliłem się, to przez to piekło na niebie.

Potem pozwolił jej się wygadać i zgodnie ze swoją naturą milczał. Kiedy złożyła mu propozycje wspólnego wyjścia do Red Hot Mama na spóźniony lunch, powiedział, że poczeka w samochodzie. Miała nalać Marcelowi wodę do miski i zaraz wyjść z Louise.

„Czy życie ogranicza się do czekania?" – zastanawiał się, siedząc za kierownicą.

W końcu wyszły, ale w nim, wydawało się, zgasła już iskra, która zamieniłaby się w płomień. Był jak umarły, świadom jedynie tego, że wolałby, by było inaczej; lecz sama świadomość nie wystarcza, aby cofnąć czas. Louise podeszła do niego, bardziej realna niż kiedykolwiek przedtem. Starczył mu rzut oka, by stwierdzić, że jest wstawiona. We włosach i na ubraniu miała opiłki przypominające zmielone płatki owsiane, a jednak nic nie poczuł, oprócz pulsowania krwi, która zaczęła szybciej płynąć w jego ciele, ale nie wyszedł z roli i nie dał poznać po sobie, że był rozczarowany. Jednocześnie zdawał sobie sprawę, że to śmieszne z jego strony, że nie powiedział nic. Absolutnie nic. Nie pozwolił sobie na najmniejszą uwagę w stylu: „fajnie się na ciebie czekało, można zaczekać się na śmierć".

Louise musiała być chyba w dobrym nastroju, a może udawała, bo było jej głupio za wszystko, co do tej pory się wydarzyło. Nachylając się blisko, tak, że poczuł jej zapach, spytała:

– Może pojedziemy naszym samochodem?

Z początku nie chciał się zgodzić. Nieswojo mu było opuścić trumnę na kółkach, jednak zachowanie Louise plus upał sprawiły, że przystał na zaproszenie, topniejąc na jej widok.

Ellen, która stała trzy kroki od nich, trzymała ręce w kieszeniach spodni i widziała, jak przyciągają ich wzajemne uśmiechy. Kiedy tak stała i przyglądała się Normanowi, to była strasznie ale to strasznie wściekła. Patrzyła na nich, jakby myślała, że ogląda film, który nagle się zatrzymał. Poprawiła włosy i zakaszlała.

– No, wsiadajcie! – powiedziała i zaczęła chodzić w kółko.

Nawet nie spojrzeli na nią.

– Louise, masz zegarek? – zapytała z naciskiem. – Jeśli się zaraz nie ruszycie, odjadę. To już przestało być zabawne.

Spóźniony lunch w Red Hot Mama

Bar mieścił się kilkanaście przecznic za pracownią. O tej porze dnia Harvey Street była jedną ze spokojniejszych ulic. Znajdowały się tam włoskie delikatesy i sklep z farbami. Słońce nie przedostawało się przez cień padający od ściany domu, pomalowanego w różowo-seledynowe esy-floresy. Zręczną łamigłówkę, która po dłuższym wpatrywaniu się przybierała kształt skłębionej na dnie ośmiornicy. Dwie następne ulice świeciły pustkami. Nie parkowały tam samochody. Na rogu był go-go bar, otwierany później i odwiedzany przez kolorowe, męskie prostytutki, szukające szczęścia w ramionach zaobrączkowanych facetów. Przeważnie byli to młodzi chłopcy. Wystrojeni od stóp do głów, wabili klientów przymilnymi uśmiechami. Ruchami ciała, których nie powstydziłyby się zawodowe tancerki. Z głośnika w Red Hot Mama niósł się po całej Harvey Street blues Handy'ego. Ochrypły głos powtarzającym się rytmem wpadał w czeluście ucha.

W barze prawie nie było nikogo. Barmanka wyglądała jak Statua Wolności. Louise pierwsza okazała jej zainteresowanie. Widać znały się dobrze, skoro Agnes wzięła ją w ramiona, poklepała po plecach, a następnie powiedziała, że była w Tucson na pogrzebie ojca. Skarżyła się jeszcze przez parę minut, że rozmowy z rodziną zmęczyły ją, więc już na drugi dzień pragnęła stamtąd uciec. Zostawić krewnych, którzy są mili tylko na zdjęciu. Jak zwykle ciotka Cynthia nie przestawała zapewniać, że poszuka jej męża. Porządnego i bogatego, który będzie tryskał poczuciem humoru, bo poczucie humoru było dla niej gwarancją udanego małżeństwa, czego nie dało się powiedzieć o jej własnym. Rozwodziła się cztery razy, ciągle powtarzając, że wreszcie znalazła miłość swojego życia. Czuła się w tym na tyle świetnie, że nigdy nie żałowała żadnego skończonego związku. Agnes to nie obchodziło. Szczerzyła do niej zęby i machała ręką, co miało znaczyć, że zgadza się z ciotką. Kiedy już opowiedziała swoją historię, wypuściła Louise z objęć i zapytała, czy podać to, co zawsze?

– Dla nas tak.

Norman skinął głową i potwierdził, że chce to samo. Hałasując, usiedli pod oknem. Trafili w przyćmioną plamę słońca na podłodze, która oblała im buty jasnością. Na zewnątrz pod wykrochmalonym niebem miasto umierało od upału, jakby uszło z niego powietrze. Taki dzień zapowiadał ciepłą noc. Kiedy skończyła się ballada o Mister Crampie, Agnes przyniosła trzy enchilady, śmietanę i tequilę z podwójną cytryną. Odwracając się do Louise, zalotnym gestem poprawiła fryzurę. Jej piersi prawie wyskakiwały spod kusego podkoszulka, odsłania-

126

jącego przekłuty pępek, a obcisłe spodnie z satyny nie ukrywały tłuszczu i lucky strike'ów w kieszeni. W srebrnych pierścionkach na palcach odbijało się skąpe światło, niebieski tatuaż na przedramieniu świadczył o zamiłowaniu do trwałych ozdób. Udawała dwudziestkę i nieźle jej to wychodziło, tak przekonująco, że niejeden dałby się nabrać. Barmanka, nalewając alkohol do kieliszków, odwzajemniła im się krowim uśmiechem. Za sekundę Sophie Tucker wypełniła pustą jeszcze salę gardłowym głosem, a Agnes zauważyła, że lubi jej bluesa o pikantnej jak czerwona papryczka dziewczynie, która ma najcudowniejszy uśmiech w mieście.

Trudno więc się dziwić, że umilkli na dłużej, zmuszeni do obcowania ze słowami piosenki. Norman, słuchając, obracał widelec w palcach i wtapiał się w Louise spojrzeniem, myśląc, że piękne kobiety są czymś więcej niż tylko kobietami; po czym dokończył enchiladę i zamówił następne wódki z kaktusa, pogrążając się w rozmyślaniach, które prowadziły donikąd, choć nie wiedział, gdzie „donikąd" się znajdowało. Chyba z racji ilości alkoholu porządne myśli jakby uciekły mu z głowy. Pobiegły w różnych kierunkach, choć bynajmniej nie były o to proszone.

Ellen nie podobało się to spotkanie. Była obrażona, kiedy z niepewną miną podchodziła do barmanki. Zdawała sobie sprawę z tego, że było za wcześnie na noc i za późno, aby pojechać wygrzewać się na piasku, chociaż za oknem słońce nieustannie rozjaśniało przestrzeń.

– Polubili się?

Odpowiedzią na pytanie Agnes był dym, który Ellen wydmuchnęła jej w twarz, zabierając w milczeniu firmowe zapałki Red Hot Mama. Potem znowu usiadła przy stoliku i wzięła w dwa palce plasterek cytryny, posypała go cukrem i rozrywając na połowy, zjadła. Norman był już porządnie pijany. Louise podobnie. W tamtej chwili nienawidziła ich oboje i sprzedałaby każde z osobna za ćwierćdolarówkę. Widząc, jak się rzeczy miały i jaki to wspaniały zapowiada się przed nią wieczór, postanowiła pojechać do pracowni po Marcela i wrócić do domu, mimo że nikt oprócz niej nie miał na to ochoty. Była w tym wszystkim jakaś niepokojąca siła, zdająca się jej mówić coś niedobrego o nadchodzących godzinach. Minuty mijały, szły przed siebie bez ustanku, mieszając fikcję z rzeczywistością.

– Jadę po psa. Louise, czy ty mnie słyszysz?

Ale Louise nie zwracała na Ellen uwagi. Żarówka w cynowej oprawie dawała żółtawą poświatę podobną do tej, jaką Ellen zapamiętała z Catskill, kiedy razem z Louise siedziały przed dogasającym ogniskiem, a za nimi światło zapalone przed domem miało odstraszać owady. Głównie komary i wodne muchy. Przedziwny to był widok, obserwować, jak wychodziła, przewracając krzesło. Zostawiła za sobą hałas i zniekształconą przez czas piosenkę Idy Cox, chociaż jeszcze przez dobrą minutę pod jaskrawym niebem słyszała starego jak świat bluesa, którego rytm wystukiwały jej własne kroki.

Można powiedzieć, że jej nieobecność okazała się preludium, zgodą losu na przyszłe wydarzenia. Norman

128

chyba odetchnął, widząc, że Louise nie zatrzymywała dziewczyny. Ośmieliło go to do stwierdzenia, że Ellen nareszcie poszła, ale ona nie zareagowała. Dopiero gdy zwrócił jej uwagę, że movado stanął w miejscu, spojrzała uważnie na niego i na zegarek.

Louise mogłaby oczywiście nakręcić mechanizm, żeby wskazówki znowu posuwały się do przodu, ale wiązałoby się to z koniecznością zapytania o godzinę. Czas był dla niej koszmarem. Oświadczyła sobie w duchu, że nie zamierza tego zrobić i dalej patrzyła w białą pustkę, którą w powietrzu tworzyły drobne refleksy światła, układające się w nierozpoznawalne figury utworzone z oparów stale wzbijających się w górę i opadających wraz z oddechem. Zdawało się jej, że odległość, która ją od nich oddzielała, maleje. Wtedy ktoś zawołał Agnes. Ocknęła się i zauważyła, że w Red Hot Mama zrobiło się ciasno.

Uwagę przykuwała kobieta zrobiona na Albitę Rodriguez, która przekrzykiwała się po hiszpańsku z czarnym facetem. Jej utlenione włosy kontrastowały z karnacją. Na fotograficznej błonie wyglądałaby może mniej perfekcyjnie tanio, z tymi kolczykami w kształcie śrub, obciążającymi uszy. Miała na sobie sukienkę w kolorach lamparciej skóry, o numer za małą. Złotym paskiem, jakby to było narzędzie tortur, ścisnęła talię. Nosiła się jak co druga latynoska piękność. Louise patrzyła na nią. Przysuwając się do Normana, bawiła się zapałkami.

– Co robiłeś na plaży? – zapytała trzeźwo, jakby nie piła.

– Pływałem.

Obrzuciła go wytrenowanym w patrzeniu spojrzeniem. Zawsze tak było, kiedy mówiła poważnie. Potem zgasiła niedopałek, który zaczął parzyć jej palce.

– Tak późno?

– Lubię pływać. Louise – Hammer otworzył plecak, w którym schował papierową kulę – to czas, jaki straciłem, czekając na ciebie. Mam tego sporo w bagażniku.

– Dużo czasu straciłeś w życiu. – Kula była szorstka w dotyku, prawie idealnie okrągła i ważyła tyle, co nic. Louise zrobiło się mdło, gdy trzymała ją w dłoni. – Ale – mówiła dalej – nie przywiązuj zbyt wielkiej wagi do naszego spotkania, ludzie spotykają się, rozchodzą, bo w życiu są ważniejsze rzeczy niż ludzie.

Te słowa mogły należeć do niego. Nagle poczuł, że jej głos dotknął jego ciała i ten dotyk otworzył mu drzwi, za którymi nie było nikogo. Panowały chłód i cisza, podobna do tej, jaką zmarli zostawiają, kiedy odchodzą. Norman, słuchając Louise, nie słyszał nawet swojego oddechu. Nic już nie słyszał po tym, jak wyobraził sobie ciepło jej skóry i rąk, ale nie śmiał prosić, aby wzięła go w ramiona, mącąc wszystko, co do tej pory zaistniało między nimi. Miał wrażenie, że pochyla się nad nim, ale nawet niewinne było niemożliwe do spełnienia. Przyniosło ból ogromniejszy niż cień, przypierający go całym ciężarem do powietrza, choć w dali jasnym płomieniem paliła się świeca.

– Norman, co się stało? Norman – wywołała jego imię z mroku.

Nie odpowiedział, popatrzył jakby przez gęstniejący dym. Bezwiednie wyciągnął z kieszeni zapałki. Rozsypał je na stole, wyjaśniając niewyraźnie, że jeśli nie wie, co powinien zrobić, zapala jedną i czeka na decyzję, którą wskaże los, a los podpowiadał, aby wyszli z Red Hot Mama. Uwierzyła mu, nieobecna jak obłoki, których nie było na niebie.

– A wy dokąd? – Agnes, ciężka jak hipopotam, wytoczyła się zza baru, kiedy wstali, czyniąc hałas większy niż reszta gości. – Obiecałam Ellen, że nie ruszycie się stąd.

– Pamiętaj, możesz wszystko, tylko mnie nie dotykaj – szepnął do Louise, zręcznie broniąc się przed dotykiem.

– Umieram od tego.

– Nikt cię nie dotknie – wskazała palcem na drzwi zatarasowane przez sto funtów żywej wagi – a ja już na pewno.

Wrócili do stolika i zaczęli stroić miny jak przed lustrem. Czy dlatego, że próbowali uchwycić wyraz własnych twarzy? Dostrzec ich odbicia zmieniające się tak szybko, jak zmieniały się tematy rozmów. Na dodatek Norman wcale nie udawał, że nie miał ochoty otwierać ust. Cal po calu odsuwał się od Louise, patrząc jej w oczy. Nie pozwoliła mu na to. Najlepiej było wpatrywać się w ścianę, ciemnozieloną, ze złotymi refleksami światła przy suficie. Wokół atmosfera gęstniała od rozmów wchodzących i wychodzących ludzi. John Lee Hooker zaczął śpiewać: *Jimmy you got your blackness...*

I wtedy, przeciągnąwszy paznokciami po szybie, prawdziwej i tej, która ich niewidzialnie oddzielała, Hammer odezwał się, czując, jak wzbierają w nim wspomnienia:

– W MIT miałem przyjaciela, nazywał się jak facet z tej piosenki. Nigdy mnie nie zawiódł, z wyjątkiem jednego razu, kiedy leciał na Alaskę. Awionetka rozbiła się pod Seattle. Przez trzy lata nie było rzeczy na świecie, której nie robilibyśmy razem. Jimmy zawsze nosił białe koszule zapięte pod szyją, no chyba że zdawał egzamin, wtedy odpinał pierwszy guzik, wierzył, że to przynosiło mu szczęście. Podobno nagła śmierć jest prezentem od Boga, ale ja nie chciałbym takiej łaski. – Jego głos przycichł, jakby Hammer obawiał się, że ktoś podsłuchuje. – Wszyscy ludzie, których znałem, gdzieś się rozsypali, zresztą po co traktować przeszłość jak oparcie, tylko inwalidzi jej potrzebują. Kiedy odezwałaś się do mnie na plaży, pomyślałem sobie, że puste miejsca czasami się zaludniają.

– Tak pomyślałeś?

– Tak. Nikt do tej pory nie jechał ze mną w moim chevy.

Trzasnęły wejściowe drzwi. Do baru wszedł chudzielec w podkoszulku z nieczytelnym nadrukiem. Wyglądał jak wydziobana łodyga kukurydzy. Miał około siedmiu stóp wzrostu, spalone od rozjaśniania włosy i wąską twarz o skośnych oczach. Wymienił z Agnes uścisk ręki i obrzucił spojrzeniem to, co działo się w barze. Louise właśnie opierała łokcie o stół, a Norman nadstawił uszu, jakby nic innego nie robił przez całe życie. Tym razem wsłuchiwał się w opowieść Louise.

Mówiła, że zanim zajęła się rzeźbą, pływała jak delfin, twierdziła, że nawet w kałuży mogłaby pływać, ale w którymś momencie sztuka weszła w jej życie i skończyła z pływaniem. W rzeźbie pociągał ją dotyk, kształt, bez którego nie istniała. Musiała dotykać wzrokiem, oddechem, każdym zmysłem. Kiedy tak mówiła o sobie, barmanka wpadła jej w słowo, krzycząc, że ballada *Red Hot Mama* dzisiaj tylko dla niej. Agnes próbowała wtórować Sophie Tucker, śpiewając głośniej niż ona:

Jestem po prostu dziewczyną,
najsłodszą dziewczyną w mieście,
możesz wiele widzieć ich wokół,
ale nie znajdziesz żadnej takiej jak ja.
Mam uśmiech, cudowny uśmiech,
uśmiecham się w szczególny sposób...

– Salute! – Louise zdobyła się jedynie na podniesienie kieliszka i już nie wróciła do zwierzeń.

Liczyła świece, których płomienie żyły osobnym życiem. Patrzyła na przeciwległą ścianę, na liście sztucznego bluszczu pnące się nad fotografiami Ma Rainey i Memphis Minnie. O stolik dalej podrabiana Albita Rodriguez słuchała muzyki. Zasnuta dymem, studiowała menu i nie zwracała uwagi na nikogo, wodząc długimi, pomarańczowymi tipsami po karcie. Louise nawet nie zauważyła, kiedy w barze zrobiło się tłoczniej niż w McDonaldzie, ale była obojętna na całe to towarzystwo i jak wosk topiła się od spojrzenia Normana, on zresztą też zanikał, patrząc jej w oczy.

Wejście Ellen zburzyło nastrój, który ich otaczał.

133

Stanęła przed nimi wysoka, w czerni, z rozpuszczonymi włosami. Zaskoczyły ją puste kieliszki, które mieli przed sobą. Udawali, że jej nie widzą. Norman wziął z miseczki cynamonowy cukierek i ssał go powoli, tylko po to, aby poczuć się lepiej. Po jakichś dziesięciu minutach Ellen zapytała, czy nie zamierzają wychodzić. Nie odpowiedzieli. Norman wciąż ssał cynamonówkę, a Louise wyglądała na bardzo zamyśloną, ale mimo to wstali i chwiejąc się, wyszli z baru.

Przed zachodzącym słońcem nawet oni nie byli w stanie się ukryć, no może stara kobieta w różowej sukience do kostek, na którą cień rzucał rozłożony parasol. Szła wyprostowana, naprężona jak struna i wydawało się, że nie widzi niczego poza ulicą, wyznaczającą kierunek spaceru. Za nią dreptał wyczesany pekińczyk z kokardkami. Wokół rozciągała się przestrzeń popołudniowego upału, za którego plecami czaił się wieczór. Louise z Normanem zatrzymali się w pół kroku, tak pijani, że nie chciało im się iść. Nagle zapragnął ją objąć, bez żadnego powodu przytulić się do człowieka, po prostu dlatego, że poczuł się sam, ale oddzielały ich szyba i auto, na którym jakiś nadgorliwiec zatknął za wycieraczkami reklamę pizzerii.

– Jak można pracować w taki upał? – spytała Louise, obdarzając Normana spojrzeniem ulotnym jak widok motyla wśród posiwiałych o zmroku chabrów.

Miała marlboro w kąciku ust. Szelka spodni opadła jej na biodro. Poprawiła ją i zmierzwiła włosy. Wyglądała jak Vanessa Redgrave. Stała tuż przy nim. Za blisko. Może, aby nie czuł się wykluczony. Momentalnie wy-

134

miękł. Gardło go piekło od smaku cukierka. Zmarszczył czoło, a kiedy ona powtórzyła jego minę, usłyszeli dźwięki pianina odbijające się od murów i płacz dziecka o dalekim zasięgu, chyba po to, by nie zapominali, w jakim żyją świecie.

„Jednak ludzie nie są dla mnie" – pomyślał Hammer, wsłuchując się w to, co ulica miała mu do powiedzenia.

Louise poprosiła go, by wsiadł do samochodu. Rozkojarzony rozejrzał się, upuszczając papierosa. Nogi miał jak z waty, gdy usiadł obok Marcela.

– Starasz się mnie zrozumieć? Ale nie dzisiaj.

Bokser wystawił łeb przez okno. Chudzielec wychodził z Red Hot Mama, śmiejąc się pod nosem. Cień na murze przewyższał go wzrostem, kiedy zawiązywał na przegubie wzorzystą chustkę.

– Jedziemy do domu, prawda? – powiedziała Ellen prędko, jakby wydawało się jej, że potrafi zakończyć rozwój wypadków, a wtedy Norman wysiadł z auta.

Chciał być sam w ciepłym świetle, które pokazywałoby to, czego nie widać, kiedy się ma otwarte oczy. Szeptał do siebie jakieś słowa pociechy, ale w głębi duszy walczył z nimi. Był jak martwy, który skorzystał z możliwości ucieczki, gdy pojawiła się szansa na powrót do dawnego świata. Z rękami w kieszeniach, bez strachu o jutro, szedł w kierunku Fitzroy Street, zbyt oszołomiony, aby czuć, że się mylił. Już nie sądził, że ktoś powinien go zrozumieć. Jego wewnętrzne ja zgadzało się z nim. Przypieczętowując milczenie, przycisnął usta do swojej lewej ręki i zdołał się uspokoić. Potem usłyszał za plecami samochód Ellen, która jechała za nim trzy przecznice, więc w końcu wsiadł z powrotem do auta i wciśnięty w mroczne wnętrze płakał niewidzialnymi łzami. Krzyczał niesłyszalnymi słowami, pocieszając się, że gdzieś musiał być ktoś, kto kiedyś cierpiał bardziej, ale Norman nie umarłby za niego na krzyżu, choćby miał zostać przez to ukoronowany i wyniesiony na ołtarz.

Miał nadzieję, że znowu sam od siebie się zapali i nie pojawi się nikt, aby otworzyć okna.

Jadąc dalej

Srebrny ford tempo przemykał ulicami tak zręcznie, jak było to możliwe w porze, kiedy miasto szykowało się do rozpoczęcia ostatniej fazy upalnego dnia, który zapowiadał ciepłą noc. Droga powrotna nie prowadziła przez zatłoczone ulice, jawnie podległe kierowcom spieszącym do celu, żeby dotrzeć do domu, sklepu, restauracji, rodziny. Czas wciągał każdego w niewidzialne tryby. Był trwalszy od dzieł sztuki. Może trwalszy niż Bóg, którego nikt nie znał z widzenia, a wielu należało do niego. Norman oczywiście niejednokrotnie doświadczył uczucia podobnego pośpiechu, jednak po wyjściu z Red Hot Mama chyba był zbyt pijany, aby usiąść za kierownicą własnego auta, nie myślał o tym, byle tylko być w ruchu. Nie dał się dotknąć niczemu, co zalałoby go jak lawa, którą Wezuwiusz wyplul na Pompeje. Ale nie powinien się obawiać, znał przecież sztuczki, by temu zapobiec.

Jedną z nich było wciskanie do oporu pedału gazu, nie po to, ażeby wypełnić dobę, lecz zyskać pewność, że jest równie szybki jak wskazówka stopera, z którą rywalizowało wielu lekkoatletów, ale nikt z nią nie wygrał. Dlatego nieustannie wjeżdżał na nowe autostrady, drogi, ulice, a gdy zabrakło pomysłu, dokąd jechać, zatrzymywał się w miejscowości najzupełniej mu obojętnej. Wyszukiwał odpowiednie miejsce na postój, zazwyczaj parking, na którym roiło się od tirów. W końcu nauczył się obcować z twardzielami na czterech kółkach. Poznał ich zwyczaje, rzadko wdając się w męskie pogawędki, a oni nie nalegali, pijani, zajęci sobą albo małolatami plączącymi się między ciężarówkami.

Pewnego dnia, kiedy wakacje dopiero się zaczynały, podeszła do niego dziewczyna, na oko osiemnastka, choć nie miała więcej niż czternaście lat. Miała porcelanowo bladą skórę, która nie nabrała jeszcze uroku prawdziwej kobiecości. Pod przezroczystą bluzką odznaczały się jej nikłe piersi o twardych sutkach i krzyżyk na szyi. Kiedy się zbliżyła, rozpięła guziki, aby były lepiej widoczne. Nie wzbudziła w nim pragnienia. Usłyszał, że jest dupkiem. Potem, smarując chleb, patrzył, jak wsiadała do tira i upuściła biały plecak. Kierowca klepnął ją w wypięty tyłek i zniknęli w kabinie wśród chichotów. Norman pomyślał wówczas o córkach i krojąc jabłko, skaleczył się nożem. Zlizał krew z palca i naprawdę nie pamiętał o tym zdarzeniu, aż do spotkania z Louise.

Dziwne, że przypomniał je sobie właśnie wtedy, gdy zaczęło oddzielać ich milczenie, które jest najgłośniejsze, kiedy nosimy żałobę. Zastanawiał się, co go w niej urzekło. Louise, poddawszy się zmęczeniu, była spokojna, posągowa i przenikał ją smutek, więc może jakiś artysta potrafiłby go namalować, ale on nie był artystą, więc co tak naprawdę zachwyciło go w Louise?

Bo najpewniej ten smutek powodował, że cała szlachetność, choćby nawet wymyślona przez niego, była widoczna na jej twarzy bardziej niż u innych. Czy to mu się tak w niej podobało? Nie potrafił odpowiedzieć na to pytanie, mimo że dawno temu doszedł do wniosku, iż smutek wyszlachetnia, ucząc patrzyć tak uważnie, że ludzie zaczynają zdawać sobie sprawę z daru obserwacji, na jaki zasługują każde oczy. Jego następstwem są rzeźby, wiersze, muzyka, obrazy, które trudno jest oddzielić od osamotnienia. Jedyną obroną przed nim jest wyobraźnia, przemieniająca część bólu w rzeczy na wieczność należące do sztuki. A że Norman zmysł obserwacji miał wyczulony do perfekcji, to wszystko w wyobraźni zamieniał w dzieła sztuki. Czasami były one nieprzekazywalne, jak krzątanina owadów, które podpatrywał w lesie, lub skrzydła ważek nad drgającą wodą. Na tym dla niego polegała moc natury, pozwalającej podążać za sobą.

Czy mógł się przeciwstawić jej sile łączącej różne sposoby odczuwania, style myślenia, rozmaite formy sztuki? Szczerze mówiąc, gdy potem wspominał tamten upalny dzień i straszliwie przygnębiającą noc, nie zapominał, że okazały się decydujące dla jego życia. W skrócie wyglądało to tak:

Dotarli na Cranberry Street szybciej, niż się spodziewali, jakby samochody usuwały się im sprzed oczu. Ellen otworzyła drzwi i zniknęła w kuchni. Stamtąd padło pytanie:

– Czujecie już duchowe pokrewieństwo?

Zanim zaprotestowali, otworzyła lodówkę i wypiła mrożony absolut z colą. Potem, nie zważając na nic, wyciągnęła ze szklanki kostki lodu i rzuciła nimi, aż odbiły się od drzwi. Dwie z nich upadły dokładnie w miejscu, gdzie stała butelka, leżały rozkrojone pomarańcze i paczka papierosów. Pozostałe wylądowały przy brązowych martensach, gdzie rozpłynęły się w nieregularne kałuże, jakby w mieszkaniu spadł deszcz.

– Zobaczymy się jeszcze?

Cień Louise Sikorsky zachwiał się na ścianie, gdy bez przekonania pytała Normana, pragnąc tylko snu i samotności.

„Nie wiem" – pomyślał. Ale odpowiedział:

– Tak.

Widział, jak wchodziła na piętro, trzymając się poręczy. Zmęczenie powoli uwalniało ją nawet od własnego towarzystwa. A jednak trudno było mu oprzeć się temu, co przypominało smak jabłka; mimo to miał w głowie pustkę, w którą każdy może łatwo się ześlizgnąć, a wyznać głośno smutek znaczyło zwątpić w nadchodzące jutro.

Po jej odejściu w domu zrobiło się cicho. Na dywanie odznaczała się bura plama, pozostałość po rozlanym bourbonie. Norman zauważył, że sofa nakryta kosmatą narzutą stała tym razem bliżej okna. Oryginalny japoński parawan oddzielał ją od reszty mebli, tłumiąc światło. Nieco na prawo siedział Marcel i bieliły się strony książek.

Wtedy dowiedział się, że Ellen pracowała w Metropolitan Museum. Ciało Afrodyty z Kyrene było dla niej maksymalnie piękne, nagie i ludzkie, mimo że czas pozbawił je głowy. Była przekonana, że gdyby życie człowieka można doprowadzić do perfekcji za pomocą geometrii i wpisać je w kwadrat lub koło, to każde zdarzenie uzyskałoby w ten sposób właściwe proporcje. Szczególnie takie, na które nie miała wpływu, więc cieszyła się, że ten dzień nareszcie się kończy i nasłuchiwała, czy Norman nie zbiera się do wyjścia. Ulżyło jej, bo szmery świadczyły o tym, że jednak wychodzi, a zyskała tę pewność, widząc, że wstaje. Ponaglała go w myślach. Pożegnali się prawie serdecznie, ale nie spojrzeli sobie w oczy, nawet gdy Ellen zaproponowała, że zawoła taksówkę, która zawiezie go na Fitzroy Street. Odmówił, zapewniając, że ma ochotę na spacer. Przyjęła jego słowa bez sprzeciwu, a zamykając drzwi, naprawdę odetchnęła oddechem, który utknął jej w gardle. Odchylając żaluzje, widziała, jak Norman odchodzi. Jak wtapia się w światła ulicy i znika za rogiem. Dopiero wtedy poszła do swojej sypialni na piętrze.

Kiedy Norman postawił pierwszy krok za progiem, naprawdę nie myślał o niczym. Poczuł jedynie, że powietrze buchnęło mu w twarz falą ciepła, przedzielając świat na połowy, a wszystko, co się pomiędzy tymi połówkami znajdowało, było szarością, którą oglądał z boku i która była ogromna w stosunku do tego, co sobie wyobrażał. Właściwie mógł się tego spodziewać, przecież nigdy nie sądził, że to, co go otaczało, stanowiło całość. Kiedy już

141

doszedł do wniosku, że powinien iść przed siebie, to popatrzył w niebo. I po prostu poszedł.

Granatowe jak ekran komputera migotało gwiazdami i trudno było je odróżnić od wczorajszego. Wzdrygnął się na samą myśl, że może być puste albo wcale nie być tam, gdzie patrzył. Obniżył wzrok do linii wyznaczonej przez różowy neon. Podmuch przynosił zapach ulicy. Wydawało się, że miasto leży w zasięgu ręki, razem z mieszkańcami, którzy towarzyszyli jego przemianom, sprawiającym, że miasto dusiło się od wysokich budowli, często zmieniających przeznaczenie. Norman czuł, że znów oddziela go od ludzi nieokreślona przepaść i że swojego kontaktu z Louise nie potrafiłby uchronić przed żrącą substancją czasu. Wprawdzie mógł zawrócić. Od nowa próbować związywać nić, ale realnie rzecz biorąc, nie opłacało się. Uczucia przeszeregowały się same, by zrobić więcej miejsca na przyszłość, na kilka podróży, które postanowił odbyć. Jakby znalazł dodatkowe wyjście awaryjne, dzięki czemu pragnienie samotnego życia okazało się silniejsze od strachu. Wyciągnął z kieszeni talizman i wyrzucił go za siebie, uwolniwszy się od mocy, która na nic się nie przydała. Czy się mylił?

A jeśli kurze i kogucie pióra, skrzydła ćmy, kłos zboża i grudka ziemi przyniosły mu szczęście, tylko jeszcze o tym nie wiedział, ponieważ przeznaczenie zmienia się ostrożnie i razem z człowiekiem, ale tak, aby tego nie zauważył. Szedł równym rytmem, czuł chrzęst szkła pod butami. Może jak Yeats wybrał się szukać swojej Innisfree, skąd mógł pochodzić głos, powodujący, że słyszał tętnienie krwi w skroni i widział rozlewającą się falę, która pulsowała przypływem, przyrzekając wyspę na jeziorze. Pot spływał mu po plecach. Norman przekonywał się, że podąża w kierunku punktu, drżącego w tle ciemnej drogi. Chyba nawet Bóg nie zauważył, jak znika. Wolno, wolniej niż ślimak, pokonał odległość dzielącą go od następnej ulicy. Potem ile sił w nogach pobiegł przed siebie. Tysiące myśli kołatało mu w głowie, brał je pod lupę i odkładał z powrotem, rozglądając się za taksówką.

Pakistańczykowi w przepoconym kaszkiecie zapłacił za kurs dziewięć dolarów. Było to dużo. Wysiadł przy chevy. Oparł się o maskę, wyjął winstona i bez zastanowienia spalił resztę zapałek. Płonęły jak cmentarny znicz. „Kto wie, czy ślad ognia w ciemności nie jest potrzebny bardziej żywym niż martwym, oni chyba potrafią się już obejść bez dodatków wywyższających śmierć" – pomyślał i zaciągnął się dymem, zadowolony, że postąpił, jak należało, wychodząc od Louise. Po czym strzepnął popiół i mimo że nie był typem wesołka, zrobił małpią minę do lusterka. Odwzajemniło mu się wizerunkiem nieuczesanego, nieogolonego i zmęczonego faceta, wyglądającego, jakby nie spał od kilku nocy. Norman skinął nieznacznie głową temu wyraźnemu odbiciu. Oddychał jego oddechem, patrzył jego spojrzeniem na twarz bez śladu emocji. Palcem dotknął jego spierzchniętych ust. Nie poczuł bólu i mógł pomyśleć, że on i tamten facet w lusterku stanowią jedność, kiedy zobaczył błyszczące radością oczy oraz brak jakiegokolwiek w nich napięcia, jakie leży w naturze drapieżników. Pomyślał też, że powinien zmienić imię. Peyton Hammer brzmiało całkiem dobrze, chociaż wolałby coś pospolitszego. Może Derek albo Dylan.

– A ty? – zwrócił się do odbicia w lusterku. – Które imię byś chciał?

Ostatecznie stanęło na Joshui. Ojciec byłby najpewniej zadowolony z wyboru. W kilku słowach nie da się opowiedzieć, jak zaczęły się ich zabawy. Nathan nazywał je męskimi sekretami, które działy się, gdy Marta była na nocnym dyżurze. Przed wyjściem przygotowywała im kolację. Przeważnie zamawiała coś nieskomplikowanego, na przykład makaron z żółtym serem albo pizzę z Domino, i wychodziła, całując obu. Dzięki jej dodatkowym dyżurom mogli wyjeżdżać na wakacje, od czasu do czasu jeść w restauracjach, ale na kieszonkowe dla Normana ciągle nie było dość pieniędzy. Lunchu w szkole również nie jadł. Kanapki zabierał z domu i szerokim łukiem omijał kafeterię.

– Sloan!

Ojciec nazwał go tak, gdy po raz pierwszy zgasił światło w pokoju i wsunął się pod kołdrę, przykrytą prześcieradłem z wizerunkami Pluto i myszki Miki.

Szorstka twarz przylgnęła do pleców Normana, a ciało mężczyzny wgniatało chłopca w siebie. Obejmował go włochatymi ramionami i aby dojść do celu, powtarzał, że jeśli piśnie słówko komukolwiek, to chwyci go za szyję tak, aż ujdzie z niego powietrze. Nathan Hammer oddychał szybko i ocierał się o syna, jak Sam o drzewo, gdy

144

miał pchły. Normanowi zawsze było wtedy mdło. Bolał go żołądek. Nienawidził dotyku ojca, który trzymał go mocno, nie dając zrobić ruchu. Stary Hammer śmierdział gorzej niż brudne skarpetki, starając się przytrzymywać kołdrę na biodrach, jak tancerka, chroniąca się przed tym, aby nie zostać nagą. Wargi mu drżały, a skórę miał lepką od potu. Za każdym razem pożądanie przychodziło do niego falą ciepła i nie mógł go sobie odmówić, czując na piersiach ciężar, powodujący, że nie zwracał uwagi na Normana, od którego cienie na ścianie oddalały się dziwnie zamglone, kiedy zaciskał ręce, jakby chciał udusić cały świat.

Chłopiec wyobrażał sobie wtedy, że rosną mu skrzydła i leci gdzieś daleko z białymi ptakami, szamocząc się z wiatrem, w tym dziwnym tańcu ponad ziemią, nie dotykając stopami jej powierzchni. Nathan nagle porywał go stamtąd jednym szarpnięciem i wszystko wracało na dawne miejsce. Nie mógł się w nim poruszyć ani wydobyć z siebie głosu, dopóki nie usłyszał ojca:

– Sloan, otwórz oczy.

I on otwierał, leżąc bez ruchu i czując jego oddech. Mokre od łez policzki piekły go od gorąca. Podrażniona zarostem skóra bolała, a palce ojca wbijały mu się w żebra. Choć nic nie zrobił, miał poczucie winy. Wstyd wiązał go czarnym sznurem niezrozumienia. Pozornie trwało to długo. Nathan przyglądał mu się, po czym wychodził z sypialni po świeżą pościel, mówiąc, że Norman znowu ubrudził prześcieradło. A on ciągle czuł ten zapach i „tę rzecz" na sobie, która była większa od jego własnej i twarda jak salami, które matka na przemian z papryką kładła na pizzę. Potem chłopiec szedł do łazienki. Kiedy mył się po ciemku, tak cicho, jak to jest tylko możliwe, obawiając się, że może go zabić kropla wody, ojciec znienacka zapalał światło, co miało być żartem, a Normanowi wtedy stawało w poprzek czasu serce.

Od samego początku ich zabaw stary Hammer wymyślał dziwaczne imiona dla siebie i syna. Dlatego Joshua na pewno by mu się spodobał, gdyby jakimś trafem wiadomość od Normana mogła dotrzeć na Florydę.

Przed czterema laty wrócili tam z Martą, nie zostawiając Susan ani nikomu adresu. Dali za wygraną, nie walcząc z zadomowioną w ciałach starością. Obrazy przesuwały się w ich pamięci w odwrotną stronę. Linia przeszłości zwijała się do początku. Gdyby ktoś im przypomniał, że było kiedyś inaczej, nie uwierzyliby, patrząc na ocean stykający się z niebem, jak ściana z sufitem. Nie wypatrywali listu od Normana. Zostawił ich zbyt dawno, aby czekali na niego. Nathan prawie oślepł i ogłuchł. Bez pielęgniarki nie poradziliby sobie. Jeździł na wózku, wtopiony w swoje urojenia, nie poznawał czasami Marty. Sącząc przez rurkę tropicanę, wydawał się najszczęśliwszy, bo nieobecny. Momentami tylko ból przeszywał jego ciało, jak strumień lodowatego powietrza mrożąc wspomnienia.

Marta trzymała się całkiem dobrze, ale gdy już nie potrafiła usiedzieć w miejscu, wychodziła z mieszkania i spacerowała po deptaku, dając się głaskać słońcu. Patrzyła na ocean. W niebo. Na mewy i kolorowe papugi. W pochmurne dni szła do Macy's i razem z innymi staruszkami spacerowała wewnątrz budynku, aby nie opaść z sił. Starość napełniła ją pokorą, z jaką oddawała się wieczornym modlitwom i czytaniu Starego Testamentu. Z jej zdrowiem nie było tak źle. Codziennie powtarzała sobie, że do końca jeszcze daleko, i słuchała rabina. Wygląd miała czysty i schludny. Rysy jej twarzy były już zatarte. Jakby zalewała je fala, owiewając wszystko chłodem. Rzadko rozmawiała z sąsiadami, ale czytała Nathanowi głośno gazety. Nic nie słyszał, a kiedy się już ocknął z nieistnienia, mówił monosylabami. Poza opiekunką nikt go nie rozumiał. Na szczęście Bóg stworzył Martę z lepszego materiału, u którego podstaw leżało długie życie. Zbyt długie, jeśli rozmija się z tym, czego się pragnęło.

Norman niczego nie pragnął, pytając w myślach, jak ma nazwać odbicie, na które patrzył, ale ono niezmiennie odsyłało mu jego własną twarz. Duma zakazywała mu się użalać. Rozejrzał się wokół, przypisując znikomą wartość temu, co odbywało się na zewnątrz niego. Wiedział, że nie poświęciłby swoich sił, aby urzeczywistnić się w rzeczywistości. Chodziło przecież o zwykłą obecność wśród ludzi, a ta potrafi wstrząsnąć człowiekiem w sposób tak naturalny, że nie zauważa, kiedy dusza w nim rzednie i porusza się w przestrzeni bez smaku oraz zapachu. Innymi słowy, wszystko formowało się w Normanie Hammerze na nowo. Nie czuł się przez to przytomniej w świecie, jednak odwracając się od lusterka, od dawna nie wydawał się sobie tak bliski i daleki zarazem.

147

Ubrany na biało, odcinał się od mroku. Nie tracił przekonania, że drogi się nie kończą. Miał ochotę zdobywać je szturmem, bo świat w bezruchu stawał się nie do zniesienia. Dlatego zamykał i otwierał drzwi samochodu. Zamykał i otwierał, dodawał gazu, z uwielbieniem patrząc na szybkościomierz. Cała rzecz, uważał, była naprawdę korzystna. Przede wszystkim wyprowadzenie się z Rochester.

Po pierwsze dlatego, że uwolnił się od rodziców, którzy jak kupa złomu przeszkadzali mu w robieniu tego, co chciał. Po drugie, dzięki tej decyzji poznał Sue, która nie była najszczęśliwszym wyborem, ale była. Miał z nią dwoje dzieci i, jakby nie spojrzeć, dziewczynki zostaną po nim, zapisując gdzieś wspólny ślad. Po trzecie, spotkał Louise i pozwolił, żeby uczucie pozostało czyste. Nie przeistoczyło się w coś, co nie daje człowiekowi oddychać. Aby do tego nie dopuścić, musiał uciec. Zamienić Louise we wspomnienie, rodzaj świętego obrazka, choć na samą myśl o niej przyjemny dreszcz przeszywał jego ciało. Jakiś wewnętrzny głos, rozsądny głos, podpowiadał mu, że dokonał właściwego wyboru, a teraz nadeszła pora, by dać mu się prowadzić dalej, nie licząc się z ceną, jaką przyjdzie zapłacić za bezgraniczną wolność. Wokół było cicho jak na cmentarzu. Rozejrzawszy się dobrze, zobaczył rzędy klonów po obu stronach ulicy. Ulistnienie przepuszczało światło. Zrozumiał, że widział je od dawna i że w pewnym okresie mógł go nawet dotknąć. Wrócił się parę przecznic, by złotą farbą napisać na budynku: „Norman is normal". Z pewnością każda osoba wchodząca do Red Hot Mama zauważy napis, wystarczy, że słońce trochę poświeci. Spojrzał na zegarek.

Doba rozkładała się przed nim jak wachlarz. Porwany wizją nadchodzących godzin, poczuł, że czas stracił znaczenie. Że jutro go nie będzie w tym samym miejscu, w którym się teraz znajdował on, Norman, syn Marty Abrams i Nathana Hammera. Rozejrzał się jeszcze raz dookoła. Nikt go nie widział, kiedy kopnął pusty pojemnik po farbie. To oczywiste, że nie zamierzał dłużej tkwić na Fitzroy Street, ale postał jeszcze przez kilka minut pod latarnią, oglądając swój samochód z daleka. Przednie opony nadawały się do wymiany, prawy błotnik rdzewiał. Chevy był brudny jak Bronx. Obiecał sobie, że wkrótce się nim zajmie. Otworzył bagażnik, zbyt bezsilny, aby wyrzucić na śmietnik papierowe kule, poniewierające się na stercie książek i ubrań. „Jeszcze mogą się przydać" – mruknął do siebie. Żeby nie przedłużać bezcelowego patrzenia w przeszłość, zamknął klapę i pomyślał, że powinien pojechać najpierw do A&P, bo pieniędzy nie miał za dużo, tyle co na jeden bak benzyny. Usiadł za kierownicą. Mocno zacisnął powieki, zastanawiał się, który kierunek wybrać. Słyszał obroty silnika. Nagle zrobiło się cudownie chłodno. Przerzucił bieg. Ustawił wskaźnik na „D". Auto zerwało się i ruszyło przed siebie.

Podjechał do Red Hot Mama, wypełnionego kolorowym tłumem. Przed barem odstawione na błysk męskie prostytutki prowadziły ożywione rozmowy, przekomarzając się i prezentując wdzięki przed klientami. Niby przypadkiem dotykając przystojniejszych opuszkami palców. Zatrąbił.

Chłopcy na komendę posłali mu buziaki. Wyróżnił z nich wyjątkowo pięknego Portorykańczyka w srebrnej, rozpiętej koszuli i w krótkich, skórzanych spodniach rozcinanych na boku, podkreślających wydepilowane nogi i wypięty tyłek jak zaproszenie do tańca. A ponieważ Norman miał sokoli wzrok, a przy tym był ciekaw chłopaka, w mgnieniu przypatrzył mu się dokładnie i nazwał Smukłym. Odniósł wrażenie, że ten rzadki okaz chłopięcości jest wypełniony tęsknotą i subtelnym lękiem, który emanował z jego kocich ruchów. Urody zachłannej na miłość. Czekanie na nią było dziecinne i wymuszone, ograniczone do fantazji o eleganckim świecie, gdzie oddaje się ciało w zamian za posiadanie innych rzeczy, wątpliwe, czy powstrzymujących degradację duszy.

Ma się rozumieć, że nie jest ważne, czy Smukły wiedział o tym. Jego czas na ulicy był dokładnie policzony. Za dwa lata przestanie się liczyć w zawodzie. Pójdzie w odstawkę. Zmanierowany. Niepotrzebny. Dlatego w mig zauważył, że Hammer zatrzymał na nim wzrok, ale nie podejrzewał, że dodał mu odwagi, aby pojechać na południe, w stronę oceanu, a stamtąd kto wie, czy nie do Miami. Może iluzorycznie pragnął nawet zatrzymać w ramionach ubranego na biało faceta, któremu zabrakło śmiałości, żeby spędzić z nim noc, a być może ta noc uwolniłaby ich obu od ciężaru, jaki w sobie nosili: Norman Hammer i ten przymilny, uszminkowany chłopiec na rogu Harvey Street, wymachujący podróbką torebki od Gucciego, podarowaną mu przez stałego klienta, który miał go, jak chciał. Szybki seks, wśród murów niedających poczucia bezpieczeństwa, był dla Smukłego jak dotykanie językiem krawędzi żyletki. „„No, ale nie ma rady, trzeba jakoś żyć" – powtarzał, co świadczyło, że pogodził się z losem. Raczej bez zachwytu, lecz pełen dla siebie zrozumienia.

Cóż mógł poradzić na to Bóg, że jego najjędrniejsze owoce nie trafiały do właściwych koszy, stając się z każdą nocą coraz mniej pożądanym towarem na rynku, jakim była ulica. Jeszcze przez parę sekund Smukły śledził odjeżdżającego chevroleta. Następnie zrobił parę kroków i zanucił: *I love my baby, yes I do, and I can trust him that his love is true...* mimo że nie wierzył w słowa śpiewanej przez siebie piosenki.

W tym czasie Norman odruchowo naciskał przycisk na desce rozdzielczej, by struga niebieskawego płynu chlusnęła na szybę i zmyła kurz. Wycieraczki pracowały równo, sprawiając, że przestrzeń nagle otworzyła się przed nim nienagannie oświetlona, czysta pod wpływem myśli. Były to minuty odrętwienia, więc nic go nie interesowało z wyjątkiem ciszy zagłuszanej pracą silnika i szumem, jaki dobiegał przez uchylone okno.

Kiedy jechał, cienie na asfalcie zaczynały się rozpływać. Czuł na twarzy chłód i wilgoć. Księżyc chował się za chmurami. Przed sobą miał drogę, ciemność i sklepy. Na razie nikogo w nich nie było. Noc obejmowała przedmieście, latarnie odbijały się w szybach i blatach kawiarnianych stolików, połyskujących tłustymi kroplami. Norman był znużony. Nużyła go ta jazda, mrok i droga. Naprawdę chciałby się spieszyć, aby wreszcie dotrzeć do jakiegoś celu, ale wiedział, że jeszcze nie przyszła właściwa pora. Rozpalał wyobraźnię tym, co się wydarzy, i dodał gazu. Auto zawyło. Oparł się lewym bokiem o drzwi. Usiadł wygodniej. „Może wszystko będzie teraz w porządku" – pomyślał. Najważniejsze to nie zatrzymywać się. Powinien pilnować stałego tempa jazdy, od którego zależał jego spokój. Położył jedną rękę na kierownicy, drugą oparł na zagłówku. Przechylił głowę i zobaczył, że na skwerze przed A&P samochody wyglądały jak polakierowane bryły metalu. Spodnie lepiły mu się do nóg. Był spocony, z niechęcią myślał, że powinien się umyć. Nie chciało mu się przystawać na stacji benzynowej i wejść pod prysznic. Trącił butem leżącą przy hamulcu książkę. Uwierały go klucze od domu Sue i pudełko zapałek schowane w tylnej kieszeni spodni. Przysunął się bardziej do kierownicy. Auto znów zawyło. Odchylił się w tył, jakby stawiał opór podmuchom wiatru, który uderzył go w twarz falą zimna. W oddaleniu żółty napis zakładu fryzjerskiego był częściowo zapaćkany farbą, podobnie jak reklama bielizny Gap. Zauważył to bez entuzjazmu i zapalił papierosa. Zakrztusił się dymem, co zepsuło mu całą przyjemność palenia. Brnąc dalej w ciemność, przejechał kilkanaście mil, oddalając się bardziej i bardziej od Red Hot Mama. Oczyszczony z wszelkiego napięcia, wierzył, że wydostał się poza własne granice, mając przed sobą nieograniczoną swobodę działania.

Od czasu do czasu pojawiał się przed jego oczami Smukły, na przemian z twarzą Louise. Już nieomal nieczytelną, zamroczoną cieniem, który lekceważył, jak przyjemności mogące go gdziekolwiek albo po prostu przy niej zatrzymać. Ukrył jej obecność w pamięci, razem z jasnym spojrzeniem, które rozpoznałby daleko poza linią, gdzie kończył się wszechświat.

Wyobraził sobie, że leżą na trawie, twarzami do góry, i patrzą na wzgórza, utworzone z chmur, wśród których kłębi się światło, prześwitując przez powietrze, jak przez staw. Zabiło mu serce, gdy wymówił jej imię. Było mu smutno. O wiele za smutno, ale nie mógł odwrócić biegu wypadków.

Jechał, czując ciężar drogi. Dodawał gazu, co nie było trudne. Bolały go mięśnie, było mu gorąco. Oddech dławił, a twarz paliła od przeszłości. Stawał się coraz bardziej niewidoczny dla siebie i coraz więcej oblepiało go wspomnień. Nie było powodu, aby je zapominać, bo i tak znikną, a jego zainteresowanie nimi było w końcu tylko pretekstem do ucieczki. Chciał zdobyć jakąś wewnętrzną górę, stracić siły i ograniczyć się do tego, co zrobić ze swoim ciałem. Niczego już od niego ani kogokolwiek nie potrzebował. Wszystko, co się wydarzyło do tej pory, zostawił gdzieś w tyle. Od momentu gdy Louise zniknęła mu z oczu, a Smukły rozpłynął się w powietrzu, to, co wydawało się niemożliwe do udźwignięcia, dźwigał dalej. Jak okiem sięgnąć miał przed sobą noc upstrzoną światłem. Przesunął o niej wzrokiem i poczuł, że cisza, do której wchodził, nagle stała się większa niż ta, jaką znał. Było w niej coś niezgłębionego. Obsuwała się na niego jak piasek, wdzierając się do ust z idiotyczną pewnością, że nie może się odwrócić, a jeśli nawet by z nią walczył, tym głębiej by się w niej zapadał. To była pułapka. Choć ciało Normana było mokre od potu, nie bał się już, zmęczony zmęczeniem spokojnego człowieka, będącego dla siebie naturalnym środowiskiem, w którym poruszał się z oszałamiającą precyzją umysłu, gotowego zapuścić korzenie w jałowej glebie.

Światła jadących z naprzeciwka aut zlewały się na jego siatkówce w oślepiające lśnienie, lecz nie potrafił mu się oprzeć, nawet nie zamierzał, ponieważ światło jest oczywistym żywiołem, nie tylko wtedy, gdy na wysokościach ociera się o czarną otchłań. Nareszcie je poczuł, torując sobie drogę w otaczającej go zewsząd nocy. Poczuł pulsujący, regularny rytm światła, jakby udało mu się uzyskać oczekiwane połączenie, właściwe połączenie z abonentem, na którego koszt telefonował tak późno, że jeszcze przed chwilą wydawało mu się to prawie niemożliwe. A mimo to powiedział najciszej jak można:

– Nie dotykać mnie, nie dotykać.

Ale jego naprawdę ostatnie słowo na Ziemi było milczeniem, poza którym niczego już nie ma oprócz fikcji.

zima 2000
Montreux/Kraków

Spis treści

POLECAMY:

Haruki Murakami

Shan Sa

Dziewczyna grająca w go
Shan Sa

Brama **N**iebiańskiego **Spokoju**
Shan Sa

Cztery życia wierzby
Shan Sa

NOWOŚĆ!

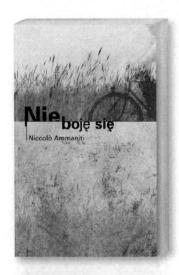

Nie boję się
Niccolò Ammaniti

Pod nieobecność mężczyzn
Philippe Besson

W pewnym wieku
Tama Janowitz

Przeciwnik
Emmanuel Carrère

NOWOŚĆ!

Wkrótce:

Książkę wydrukowano na papierze
Amber Graphic 70 g/m²

 **Amber**
BY ARCTIC PAPER

www.arcticpaper.com

Warszawskie Wydawnictwo Literackie
MUZA SA
ul. Marszałkowska 8, 00-590 Warszawa
tel. (0-22) 827 77 21, 629 65 24
e-mail: info@muza.com.pl

Dział zamówień: (0-22) 628 63 60, 629 32 01
Księgarnia internetowa: www.muza.com.pl

Warszawa 2004
Wydanie I

Skład i łamanie: MAGRAF s.c., Bydgoszcz
Druk i oprawa: Drukarnia Naukowo-Techniczna, Warszawa